MW00849536

Carolin Hinck

Neuanfang mit Schokolade

Ernst Klett Sprachen
Stuttgart

1. Auflage 1 5 4 3 2 1 | 2021 20 19 18 17

Internetadresse: www.klett-sprachen.de

Zeichnungen: Mustag Firin

Redaktion: Carina Janas
Layoutkonzeption: Maja Merz
Gestaltung und Satz: DOPPELPUNKT, Stuttgart
Umschlaggestaltung: Maja Merz
Titelbild: shutterstock, (AS Food studio), New York, NY
Bild S.30: ullstein (von der Becke), Berlin
Druck und Bindung: AZ Druck und Datentechnik GmbH, Kempten/AllgäuPrinted in Germany

ISBN 978-3-12-556048-2

9 783125 560482

Inhalt

Vorwort 8

Personen 10

1 Eine Brieffreundschaft 12

2 Das bin ich! 14

3 Das Büro und die Arbeit 21

4 Tante Frieda, Susi und Datschi 25

5 Feierabend mit Kathi 26

6 Ein Brief aus Deutschland 37

7 Unterwegs in Melbourne 41

8 Eine Veränderung 47

9 Auf Wiedersehen Melbourne! 49

10 Willkommen in Augsburg 58

11 Die Beerdigung 67

12 Die Bäckerei 72

13 Das Seminar 83

14 Tour durch Augsburg 89

15 Zurück in der Bäckerei 94

16 Übung macht den Meister 97

17 Ein interessantes Angebot 103

18 Die Neueröffnung 109

Grammatikübersicht

Großschreibung 14

W-Fragen und Ja-/Nein-Fragen 16

Verbposition 13

Konjugation regelmäßiger Verben 18

Verben mit Vokalwechsel 28

trennbare Verben 49, 55

sein und haben 20, 25, 37

Modalverben 29, 35, 39. 55

Imperativ 20, 73

Verb + Subjekt + Objekt 28

Verben mit Akkusativ 43, 95

Verben mit Dativ 94, 95

Perfekt 92, 93

bestimmter und unbestimmter Artikel 21

Personalpronomen 21, 97

nicht und kein 23

Possesivartikel 24

Wechselpräpositionen 62, 67

Präpositionen 68, 70, 83, 89

Komparativ und Superlativ 97

Genitiv 100

Vorwort

Als Deutschlehrerin fragen mich meine Schüler oft:
„Kennen Sie ein Buch für Deutschlernende?"
Natürlich gibt es viele Bücher für Deutschlernende, aber wenige Bücher für absolute Anfänger. Kinderbücher haben oft komplexe Satzstrukturen, nutzen unbekannte Zeiten oder enthalten unbekanntes Vokabular. Auch die Themen und Inhalte sind nicht wirklich passend.

Dieses Buch aber ist für Deutschlernende,
- die wirklich Lernanfänger sind.
- die das A1-Level abgeschlossen haben und jetzt Wiederholung möchten.
- die gelerntes A1-Vokabular und die Grammatik festigen wollen.

Die Geschichte enthält:
- Sehr einfache Satzstrukturen
- Eine Wiederholung der A1-Grammatik
- Wortschatzhilfen auf Englisch (Annotationen)
- Bilder
- Landeskundliche und kulturelle Infos zu deutschem Essen und Trinken sowie zu Musik und Städten

Ich wünsche Ihnen viel Spaß beim Lesen
Carolin Hinck

So funktioniert das Buch

Hier gibt es einen Hörtext.

Hier gibt es eine Grammatikerklärung.
Im Text sind die Merkmale der Grammatik fett hervorgehoben.

Hallo, ich bin **T**ina.
Ich komme aus **A**ugsburg.
Augsburg liegt in Süddeutschland.
Meine **T**ante wohnt dort. **S**ie heißt **F**rieda.

→ Grammatik: Großschreibung

Ein Wort ist rot: Hier gibt es eine Übersetzung.

Süddeutschland the south of Germany | **dort** there

Zu diesem Buch gibt es Audiodateien, Grammatikerklärungen und Rezepte, die mit der Klett-Augmented-App geladen und abgespielt werden können.

Klett-Augmented-App kostenlos downloaden und installieren

App auf Smartphone oder Tablet öffnen und Cover auswählen

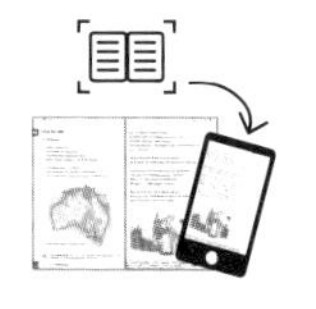

Kamera des Smartphones oder Tablets über diese Seite halten und komplett scannen

Die Mediendateien laden, direkt abspielen oder speichern für Offline-Nutzung

Vorname: Tina
Familienname: Schneeberg
Alter: 29 Jahre
Beruf: Anwältin
Wohnort: Melbourne, Australien
Hobbys: Joggen, Lesen, Pralinen essen, Pralinen machen

Vorname: Kathi
Familienname: Smith
Alter: 28 Jahre
Beruf: selbstständig, Autorin
Wohnort: Melbourne, Australien
Hobbys: Surfen, Reisen, Sprachen lernen

Vorname: Tim
Familienname: Brooke
Alter: 33 Jahre
Beruf: Bankkaufmann
Wohnort: Melbourne, Australien
Hobbys: Squash spielen, Theater, Gitarre spielen

Vorname: Susi
Familienname: Weber
Alter: 67 Jahre
Beruf: Rentnerin
Wohnort: Augsburg, Deutschland
Hobbys: Backen, Wandern, Singen

Vorname: Franz
Familienname: Meyer
Alter: 36 Jahre
Beruf: Investment Banker
Wohnort: Augsburg, Deutschland
Hobbys: Fußball spielen, Zelten, Freunde treffen

Vorname: Ilse
Familienname: Himmel
Alter: 48 Jahre
Beruf: Sekretärin
Wohnort: Augsburg, Deutschland
Hobbys: Lesen, Wandern, Malen

1 Eine Brieffreundschaft

Suche Brieffreundin

Hallo. Mein Name ist Kathi. Ich bin 12 Jahre alt. Ich wohne in Melbourne. Melbourne ist in Australien. Ich lerne Deutsch in der Schule. Ich suche eine Brieffreundin aus Deutschland.

Liebe Grüße, Kathi.

Augsburg, 21. Oktober 1999

Liebe Kathi,

ich **heiße** Tina. Ich **bin** 13 Jahre alt und ich **komme** aus Deutschland. Ich **wohne** mit Tante Frieda in Augsburg. Ich **lerne** Englisch in der Schule, aber mein Englisch **ist** nicht so gut. Dein Deutsch **ist** super!

Hast du Hobbys? Ich **lese** und **schreibe** gerne. Ich **mache** auch gern Pralinen.

Hier **ist** ein Foto:
Das **bin** ich
mit Tante Frieda
und Susi.

Hier **ist** noch ein Foto:
Ich und meine Pralinen.
Weiß, braun und schwarz.

Liebe Grüße,
Tina

Melbourne, 13. November 1999

Hallo Tina,

Danke!!! Dein Brief **ist** sehr schön! Die Fotos **sind** toll!

Wie **ist** das Leben in Deutschland? Mein Vater **sagt**, die Jungs **spielen** viel Fußball in Deutschland. **Stimmt** das?

Ich **habe** viele Hobbys. Ich **surfe**, **schreibe** und **lerne** Deutsch.

Ich **wohne** mit Mama, Papa und Ben (das ist mein Bruder) in Melbourne in Heidelberg. Heidelberg **heißt** auch eine Stadt in Deutschland, **sagt** Mama.

Hier **ist** ein Foto:
Das **ist** meine Familie!

Liebe Grüße,
Kathi

2 Das bin ich!

15 Jahre später.

Hallo, ich bin Tina.
Ich komme aus Augsburg.
Augsburg liegt in Süddeutschland.
Meine Tante wohnt dort. Sie heißt Frieda.

Ich bin Anwältin von Beruf
und ich arbeite bei „Spieker und Partner".
Das ist eine deutsche Anwaltskanzlei in Melbourne.

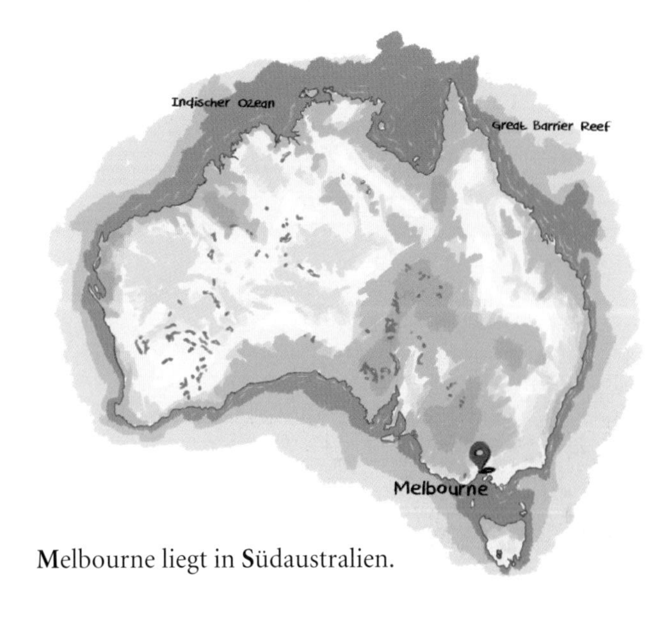

Melbourne liegt in Südaustralien.

---

später later | **Süddeutschland** the south of Germany | **dort** there | **die Anwältin** lawyer (female) | **arbeiten** to work | **die Anwaltskanzlei** the law firm

Grammatik: **Großschreibung**

Seit 10 Jahren wohne ich hier.
In Melbourne ist das Wetter meistens gut.
Ich liebe die Sonne und das Meer.
Ich spreche jeden Tag Englisch aber mein Deutsch ist noch sehr gut.

Meine Freundin Kathi ist Australierin.
Sie kommt aus Melbourne. Ihr Deutsch ist sehr gut.

Mein Freund Tim kommt auch aus Australien.
Tim und ich wohnen zusammen in Fitzroy.
Fitzroy ist ein Stadtteil in Melbourne.
Hier gibt es viele Kneipen und Cafés.

Tim und ich sind seit 4 Jahren ein Paar.
Wir reisen viel. Nach London oder in die Schweiz, nach Österreich oder in die Türkei.

---

seit since, for | **das Wetter** weather | **meistens** mostly | **die Sonne** sun | **das Meer** sea | **jeden** every | **noch** still | **zusammen** together | **der Stadtteil** suburb | **es gibt** there is/are | **die Kneipe** pub | **das Paar** couple | **reisen** to travel | **viel** a lot

Melbourne, Montag, der 20. Oktober

„Guten Morgen Frau Schneeberg", sagt die Rezeptionistin.
„Guten Morgen Frau Schmidt!", antworte ich.

Frau Schmidt ist neu bei „Spieker und Partner".
Sie kommt aus Berlin.

„Wie geht es Ihnen?", fragt Frau Schmidt.
„Danke, gut! Und Ihnen?"
„So lala", antwortet Frau Schmidt und ich gehe in mein Büro.

Ich sehe meine Checkliste.

1. Kaffee kochen
2. Arbeiten
3. E-Mail an Kathi schreiben
4. Joggen

Nummer *1*.
Kaffee kochen
– gute Idee.
Ich gehe in die Küche.

die Rezeptionistin receptionist (female) | **antworten** to answer | **neu** new | **das Büro** the office | **die Küche** the kitchen

Grammatik: **W-Fragen** und **Ja-/Nein-Fragen**

„Sind Sie Frau Schneezwerg?“, fragt ein Mädchen in der Küche.
„Sie meinen Schneeberg. S C H N E E B E R G.
Ja, das bin ich. Und wer sind Sie?“
„Ich bin die Praktikantin.“
„Wie heißen Sie?“
„Ich heiße Sarah Meyer. Sarah mit H. S A R A H.
Ich bin neu in Melbourne.“
„Willkommen! Wo wohnen Sie?“
„Ich wohne in Carlton. Kennen Sie Carlton?“
„Ja, sehr gut. Ich wohne in Fitzroy.
Carlton ist in der Nähe von Fitzroy.
Woher kommen Sie?“
„Ich komme aus Düsseldorf“, sagt Sarah.

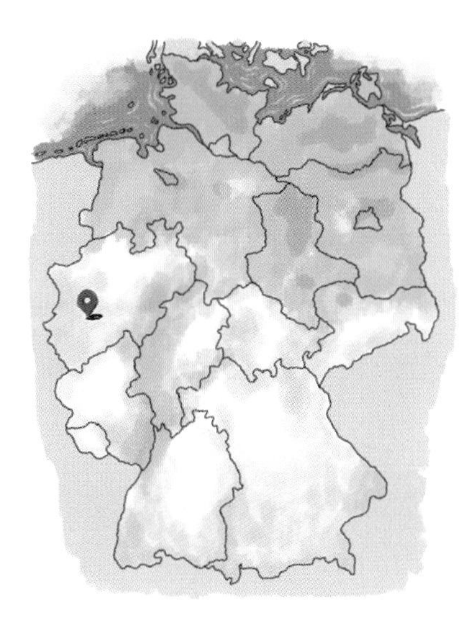

---

das Mädchen girl, young women | **meinen** to mean | **die Praktikantin** the trainee (female) | **kennen** to know | **in der Nähe von** nearby

Exkurs Düsseldorf

Steckbrief
Bundesland: Nordrhein-Westfalen
Einwohner: etwa 600.000
Dialekt: Düsseldorfer Platt
Gründung: 1288

Düsseldorf lieg**t** im Westen von Deutschland.
Düsseldorf ist international.
Hier wohnen viele Menschen aus der ganzen Welt.
Sie komm**en** aus Brasilien, Schweden, Indien, aus der Türkei, ...
Etwa 150.000 **Ausländer** leb**en** in Düsseldorf.
Die Deutschen geh**en** gern in die internationalen Restaurants.
Moderne, Tradition, Kultur und Lebensfreude – all das ist Düsseldorf.
Die Touristen fotografier**en** gerne die Architektur.
Die Architektur ist besonders interessant.
Man finde**t** alte und neue Gebäude direkt nebeneinander.

Zurück am Schreibtisch öffne ich eine Schachtel mit Pralinen.
Ich habe immer Schokolade im Schreibtisch.

das Bundesland the German state | **die Einwohner** population | **der Dialekt** dialect | **die Gründung** foundation of the town (here) | **die Menschen** people | **die Welt** the world | **kommen** to come | **etwa** approximately | **die Ausländer** the foreigners | **leben** to live | **gehen** to go | **die Lebensfreude** lust for life | **fotografieren** to take photos | **besonders** especially | **alt** old | **neu** new | **das Gebäude** building | **nebeneinander** next to each other | **der Schreibtisch** desk | **öffnen** to open | **die Schachtel** the box | **immer** always

Grammatik: **Konjugation regelmäßiger Verben**

Ich sehe meine Checkliste:

1. Kaffee kochen ✓
2. Arbeiten
3. E-Mail an Kathi schreiben
4. Joggen

Erst einmal: Nummer *2. Arbeiten.*
Ich arbeite eine Weile. Dann habe ich Pause.

Zeit für Nummer 3: Ich schreibe die E-Mail an Kathi.

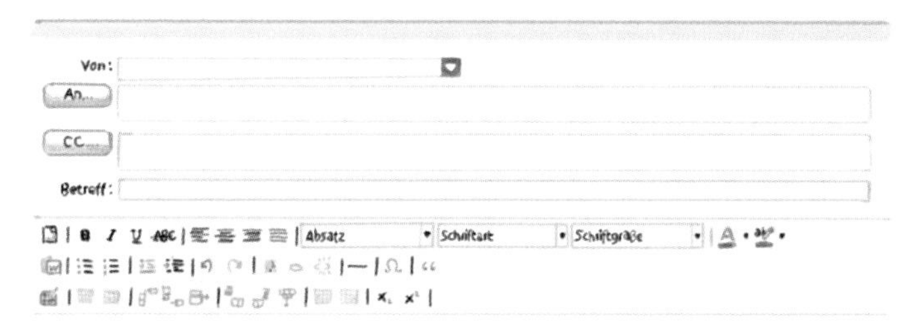

Hallo Kathi,

wie geht es dir? Wir haben jetzt eine Praktikantin. Ihr Name ist Sarah. Sie ist erst seit 3 Tagen in Melbourne. Sie kommt aus Düsseldorf. Sarah ist sehr freundlich. Sie studiert Jura an der Monash Universität.

Was machst du? Bist du zu Hause? Ich bin im Büro und trinke viel Kaffee. Es ist langweilig.

Haben wir heute Abend um 18:00 Uhr ein Date im Restaurant „Little Creature"?

Bis dann, Tina.

---

erst only | **freundlich** friendly | **zu Hause** at home | **langweilig** boring | **heute Abend** tonight

Kathi ist meine beste Freundin.
Sie ist 28 Jahre alt und Kinderbuchautorin von Beruf.
Kathi ist selbstständig.
Sie ist ledig und **hat** keine Kinder.
Sie lernt seit 23 Jahren Deutsch.
Ich kenne Kathi seit 15 Jahren.
Kathis Familie ist sehr nett.
Sie hat auch einen Bruder.
Er heißt Ben und **ist** 25 Jahre alt.
Er wohnt auch in Melbourne.
Kathis Eltern sind in Perth.
Sie haben ein Haus in Perth und eine Wohnung in Adeleide.
Aber **Kathi ist** ein Melbourne-Mädchen.
Sie liebt die Kultur, die Kunst und das Essen in der Stadt.

Es ist 13 Uhr und ich gehe in die Kantine.

„Frau Schneeberg!“, ruft eine Stimme. Es ist Sarah.
„**Warten Sie**!“
„Hallo Frau Meyer. **Sagen Sie**, wie ist Ihr erster Arbeitstag?“
„Wunderbar! Alle Kollegen sind freundlich.
Ist hier noch frei?“
„Ja, bitte. **Nehmen Sie** Platz!“

---

die Freundin girlfriend | **die Kinderbuchautorin** writer of children's books | **selbstständig** self-employed | **ledig** single; unmarried | **nett** nice; friendly | **der Bruder** brother | **die Eltern** parents | **die Wohnung** flat, apartment | **aber** but | **die Kunst** art | **das Essen** food | **rufen** to call | **die Stimme** voice | **warten** to wait | **der Arbeitstag** workday | **frei** free; taken (here) | **Nehmen Sie Platz!** Take a seat!

Grammatik: **Konjugation sein und haben, Sie-Imperativ**

3 Das Büro und die Arbeit

Die Mittagspause ist vorbei und ich gehe zurück zum Schreibtisch.
„Was ist das denn?", fragt plötzlich **eine Stimme**.
Es ist Sarah.

„Was meinen Sie?", frage ich.
„Na, das?"
„Das ist **eine Tasse**", antworte ich.
„**Die Tasse** ist ja komisch."
„**Sie** ist von Tante Frieda, aus Deutschland."
„Hmmmm, **sie** ist sehr eigenartig."
„Und das ist **ein Henkel**?", fragt sie weiter.
„**Der Henkel** ist schön, oder?", frage ich genervt.
„Naja, **er** ist … interessant."

Hat Sarah Langeweile oder warum fragt sie so viel?

„Und was ist das denn bitteschön?", frage ich und zeige auf **das Telefon**.
„Das ist **ein Handy**."
„Bitte? Das ist **ein Handy**?
Es ist sehr groß!"
„Ja, **es** ist schon 6 Jahre alt.
Aber **es** funktioniert noch sehr gut."

---

die Mittagspause lunch break | **plötzlich** suddenly | **die Tasse** the cup | **komisch** weird; funny | **die Tante** aunt | **eigenartig** strange | **der Henkel** handle | **schön** nice | **genervt** annoyed | **die Langeweile** boredom | **das Handy** mobile phone | **groß** big | **funktionieren** to work | **gut** good; well (here)

Grammatik: **bestimmter** und **unbestimmter Artikel**, **Personalpronomen** (der, ein, er | die, eine, sie | das, ein, es)

„Und was ist das?“, frage ich.
„Das ist **die Antenne**“, erklärt Sarah.
„Wow, **sie** ist lang.“

Sarah **nimmt das Handy** und verschwindet wieder.
Was war denn das?

Heute denke ich viel an Tante Frieda.
Sie ist bald 89 Jahre alt. Ich vermisse sie.
Auf meinem Schreibtisch sehe ich das Foto von uns in Deutschland. Ich bin 13 Jahre alt.
Wir sind in der Backstube. Ich **backe nicht** gern.

Ich **sehe** Tante Frieda **nicht** oft. Vielleicht alle 4 Jahre.
Dieses Jahr fliege ich an Weihnachten nach Deutschland.
Im Dezember gibt es dort viele Weihnachtsmärkte, Glühwein und Eierpunsch.
Ich **trinke nicht** viel Alkohol aber Glühwein und Bier trinke ich gern.

---

die Antenne antenna | **erklären** to explain | **lang** long **nehmen** to take | **verschwinden:** to disappear | **Was war denn das?** What was that all about? | **denken** to think | **bald** soon | **die Backstube** bakery | **vielleicht** maybe | **dieses Jahr** this year | **Weihnachten** Christmas | **die Weihnachtsmärkte** Christmas markets | **der Glühwein** mulled wine | **der Eierpunsch** eggnog

Das Bürogebäude **ist nicht** sehr groß.
Hier arbeiten 55 Angestellte.
Die meisten Kollegen **kommen nicht** aus Australien.
Sie kommen aus Deutschland oder aus der Schweiz.
Das Gebäude **ist nicht** besonders interessant.
Hier ist eine Kantine aber **kein Café**.
Hier ist ein Konferenzraum aber **kein Warteraum** für Klienten.
Hier ist eine Küche aber dort ist **keine Geschirrspülmaschine**.
Die Computer sind groß und unmodern und hier sind **keine Laptops**.

Das Telefon klingelt.
„Schneeberg", antworte ich.
„Guten Tag Frau Schneezwerg", antwortet eine Stimme.
„Schnee-BERG, Schnee, wie „snow" und Berg wie „mountain".
B E R G", wiederhole ich.
„Oh, entschuldigen Sie. Hier ist Frau Schmidt von der Rezeption.
Hier ist ein Brief für Sie. Er kommt aus Deutschland."
„Vielen Dank Frau Schmidt. Ich komme später."

Ich sehe **meine Checkliste**:

1. Kaffee kochen ✓
2. Arbeiten
3. E-Mail an Kathi schreiben ✓
4. Joggen

das Bürogebäude office building | **die Angestellten** employees |
die Kantine canteen | **der Konferenzraum** conference room | **der Warteraum** waiting room |
die Geschirrspülmaschine dishwasher

Grammatik: **nicht** und **kein**

Wieder Nummer 2: ARBEITEN!
Ich schreibe Emails, telefoniere mit Klienten und trinke Kaffee, viel Kaffee.

2 Stunden später.
Ich habe Hunger. Eigentlich habe ich immer Hunger.
Ich öffne **meine Schreibtischschublade**, lehne mich zurück, esse **meine Praline** und schließe für ein paar Sekunden **meine Augen**.
Da kommt Sarah.
„Frau Schnee…berg. Ist das **Ihre** Tasche?"
„Ja, das ist **meine Tasche**.
Duzen Sie mich doch. Ich bin Tina."
„Ok, du kannst mich natürlich auch duzen."
„Also, ist das **deine Tasche**?", wiederholt sie.
„Sie war in der Kantine."
„Ja, das ist **meine Tasche**. Vielen Dank."

Ich vergesse nie **meine Sachen**.
Das ist sehr untypisch für mich.
Heute bin ich unkonzentriert aber bald ist Feierabend!
Es ist 18 Uhr und ich gehe zu Frau Schmidt.
„Hallo Frau Schneezwerg!", ruft Frau Schmidt.
„SchneeBERG! Wo ist **mein Brief**?"
„Hier ist **Ihr Brief**. Er kommt aus Deutschland!"
„Danke, ich weiß", antworte ich und verlasse das Bürogebäude.

---

die Stunde hour | **der Hunger** hunger (be hungry) | **eigentlich** actually | **die Schreibtischschublade** desk drawer | **zurücklehnen** to lean back | **schließen** to close | **die Augen** eyes | **die Tasche** the bag | **sich duzen** be on a first-name basis with so. | **wiederholen** to repeat | **untypisch** non-typical | **unkonzentriert** lacking in concentration | **der Feierabend** knocking-off time | **wissen** to know | **verlassen** to leave

Grammatik: Possesivartikel **mein(e)**, **dein(e)** und **Ihr(e)**

4 Tante Frieda, Susi und Datschi

Susi **ist** die Nachbarin und beste Freundin von Tante Frieda in Augsburg.
Sie hilft Tante Frieda oft in der Bäckerei.
Susi **ist** 67 Jahre alt. Sie **ist** verwitwet.
Sie hat kein**en Mann** aber ein**en Hund**. Er heißt Coco.
Er **ist** schon alt und krank aber er **ist** noch sehr fit.
Manchmal fliege ich im Sommer nach Deutschland.
Dann gehe ich oft mit Coco spazieren.
Tante Frieda, Susi und ich machen oft Picknick im Park.
Wir **haben** dann ein**e Picknickdecke**, ein**en Picknickkorb**, einen **Zwetschgendatschi**, ein **Brot**, Obst und ein**e Kanne** Kaffee dabei.
Datschi **ist** ein Pflaumenkuchen.
Die Bayern sagen „Datschi" oder „Zwetschgendatschi".
Susi und Tante Frieda **haben** auch immer ein**en Sonnenhut** dabei.
Meistens möchte Coco mit Tante Frieda spielen, aber sie **ist** faul.
Manchmal **haben** wir auch ein**e Grillparty** im Garten.
Ich grille dann das Fleisch und das Gemüse und Tante Frieda backt das Fladenbrot.

---

die Nachbarin the neighbour (female) | **helfen** to help | **die Bäckerei** bakery | **verwitwet** widowed | **der Hund** dog | **krank** to be ill; sick | **spazierengehen** to go for a walk | **die Picknickdecke** picnic blanket | **der Picknickkorb** picnic basket | **der Zwetschgendatschi** plum cake (Bavarian) | **die Kanne** pot | **das Obst** fruit | **der Pflaumenkuchen** plum cake | **der Sonnenhut** sun hat | **dabei** to have something with you (here) | **faul** lazy | **das Fleisch** meat | **das Gemüse** vegetables | **das Fladenbrot** flatbread; pita

Grammatik: **sein + Nominativ** und **haben + Akkusativ**

5 Feierabend mit Kathi

Jetzt habe ich aber Hunger.
Ich treffe Kathi im Restaurant.
Der Koch kommt aus Deutschland
und das Essen hier ist fantastisch.

„Tiiiiiina, ich bin hier!“, schrillt eine Stimme.
„Hallo Kathi. Wie geht es dir?“
Ich umarme sie.

„Kann ich Ihnen helfen?“, fragt der Kellner.

Mm, er ist attraktiv.
Er ist groß, seine Haare sind braun, seine Augen sind blau aber seine Nase ist sehr lang.

treffen to meet | **schrillen** to shrill | **umarmen** to hug | **der Kellner** waiter | **groß** tall | **die Haare** hair

„Ähm, ja …“, stammle ich schüchtern.
„Ein Tisch für 2, bitte“, sagt Kathi schnell.
„Bitte, hier ist ein Tisch für 2 Personen.“
„Der ist aber hübsch“, denke ich laut.
„Na klar, ist ja auch mein Lieblingsrestaurant“, sagt Kathi.

Kathi wohnt in einer WG.
WG ist kurz für Wohngemeinschaft.
Sie hat 2 Mitbewohner. Sie heißen Thomas und Peter
und sie kommen aus Deutschland.

„Wie **läuft es** mit Thomas und Peter?“, frage ich.
„Sprecht ihr viel Deutsch in der WG?“
„Oh ja, wir sprechen nur Deutsch.
Thomas spricht bayerisch. Er kommt aus München.
Und **Peter spricht** plattdeutsch. Er kommt aus Emden.
Emden liegt in Norddeutschland, in der Nähe von Holland.“

„Ich mag beide Mitbewohner
sehr gern.
Aber das WG-Leben ist
ein bisschen schwierig.
Niemand kocht, aber
das Geschirr ist immer dreckig.“

---

stammeln stammer | **schüchtern** shy | **hübsch** pretty | **das Lieblingsrestaurant** favourite restaurant | **die Wohngemeinschaft** flat share | **die Mitbewohner** flatmates | **gut/schlecht laufen** it is going well/not well | **sprechen** to speak | **bayerisch** Bavarian (dialect) | **plattdeutsch** Low German (dialect) | **mögen** to like | **beide** both | **ein bisschen** a bit | **schwierig** difficult | **niemand** no one | **das Geschirr** dishes | **dreckig** dirty

Grammatik: **Verben mit Vokalwechsel**

„Mein Essen im Kühlschrank verschwindet auch jeden Tag.
Angeblich **isst** es **keiner**, aber das glaube ich nicht.
Ich denke **Thomas nimmt** mein Essen aus dem Kühlschrank.
Und **Peter isst** auch alles, was **er sieht** und findet.
Wir haben 3 Fächer im Kühlschrank.
Ein Fach für Thomas, ein Fach für Peter und ein Fach für mich.
Aber nur mein Fach ist immer voll mit Essen."
„Und habt ihr einen Haushaltsplan?"

„Ja, haben wir. Wöchentlich hat jeder eine andere Aufgabe.
Das Bad putzen, die Küche wischen und den Müll rausbringen.
Aber der Plan funktioniert nicht gut.
Thomas liest den Plan nie und vergisst dann immer den Müll
und **Peter sieht** den Putzplan auch nie."
„Oh man, du Arme.
Hat Thomas noch **seine** Freundin?"
„Ja", sagt Kathi.
„**Er trifft** sie jeden Tag.
Sie schläft dann bei uns."

---

der Kühlschrank fridge | **der Tag** day | **angeblich** apparently | **keiner** nobody | **sehen** to see | **das Fach** shelf | **der Haushaltsplan** house roster | **wöchentlich** weekly | **jeder** everybody | **die Aufgabe** task | **das Bad** bathroom | **putzen** to clean | **der Müll** rubbish | **rausbringen** to take out | **lesen** to read | **vergessen** to forget | **du Arme** you poor thing | **seine Freundin** his girlfriend | **schlafen** to sleep

Grammatik: **Verb + Subjekt + Objekt, Verben mit Vokalwechsel**

„Manchmal denke ich, ich habe 3 Mitbewohner."
„Zahlt sie denn auch Miete?"
„Nein, manchmal kocht sie für die WG.
Das Schlimme ist, sie kann gar nicht kochen."
„Und was macht Thomas den ganzen Tag?", frage ich weiter.
„Thomas? **Er liest** den ganzen Tag die Zeitung.
Manchmal **fährt er** Rad. Aber mehr macht er nicht."

„**Möchten** Sie was **trinken**?", fragt der Kellner.
„Der Martini ist köstlich", sagt Kathi.
„OK, ich nehme einen Martini."
„Zwei Martini", ergänzt Kathi.
„Gerne", sagt er und geht zur Bar.

„Was **möchtest** du **essen**?", fragt Kathi.
„Was **kannst** du denn **empfehlen**?"
„Hier gibt es deutsche Currywurst", sagt sie.

Exkurs: Currywurst

Die Currywurst ist eine deutsche Spezialität.
Sie ist eine Bratwurst, geschnitten
und mit viel Currysoße.
Die Soße ist aus Ketchup oder
Tomatenmark und Currypulver.

Miete zahlen to pay rent | **kochen** to cook | **das Schlimme** the bad thing | **können** to be able to | **die Zeitung** newspaper | **fahren** to drive | **köstlich** delicious | **ergänzen** to add, to complete | **empfehlen** to recommend | **die Spezialität** speciality | **die Bratwurst** sausage | **geschnitten** cut; sliced | **die Currysoße** curry sauce | **das Tomatenmark** tomato paste | **das Currypulver** curry powder

Grammatik: Modalverben **möchten** und **können**

Herta Heuwer ist die Erfinderin.
1949 verkauft sie an ihrem Imbissstand
in Berlin Charlottenburg die erste Currywurst.
Herta stirbt im Jahr 1999.
Die Currywurst ist ein beliebtes Fast Food der Deutschen.
Nur der türkische Döner und der US-amerikanische
Hamburger sind Konkurrenz in Berlin.

„Nee, heute möchte ich keine Currywurst.
Was **kannst** du noch **empfehlen**?“, frage ich.
„Gibt es hier Labskaus?“, frage ich weiter.
„Was ist das denn?“
„Labskaus ist eine norddeutsche Spezialität.
Es ist ein traditionelles Seefahreressen.
Früher war es ein Resteessen.
Man kocht es aus den Resten, die man zu Hause hat.
Aber heute kocht man Labskaus nicht mehr aus Resten.
Man verwendet frische Zutaten wie Kartoffeln, Corned Beef und Zwiebeln. Viele Leute essen Labskaus mit Spiegelei und Gewürzgurke“, erkläre ich.
„Klingt gut“, sagt Kathi.
„Aber leider steht es hier nicht in der Speisekarte.“

---

die Erfinderin inventor (female) | **verkaufen** to sell | **der Imbissstand** snack bar | **erste** first | **sterben** to die | **beliebt** popular | **die Konkurrenz** competition | **das Seefahressen** food for sailors | **früher** in the past | **verwenden** to use | **die Zutaten** ingredients | **die Zwiebel** onion | **das Spiegelei** fried egg | **die Gewürzgurke** gherkin

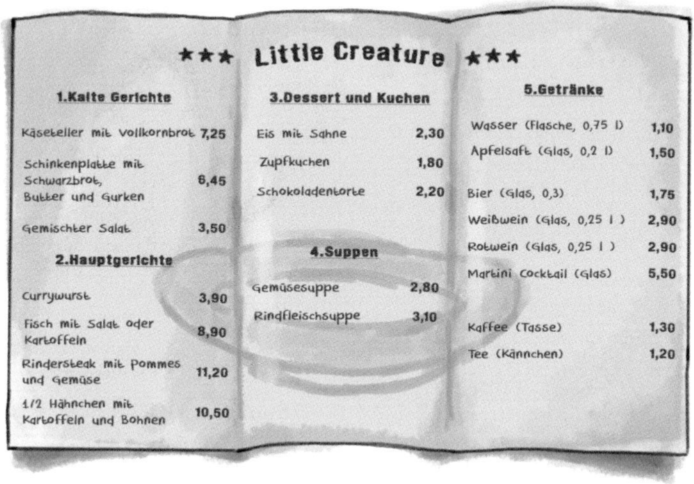

★★★ Little Creature ★★★

1.Kalte Gerichte

Käseteller mit Vollkornbrot	7,25
Schinkenplatte mit Schwarzbrot, Butter und Gurken	6,45
Gemischter Salat	3,50

2.Hauptgerichte

Currywurst	3,90
Fisch mit Salat oder Kartoffeln	8,90
Rindersteak mit Pommes und Gemüse	11,20
1/2 Hähnchen mit Kartoffeln und Bohnen	10,50

3.Dessert und Kuchen

Eis mit Sahne	2,30
Zupfkuchen	1,80
Schokoladentorte	2,20

4.Suppen

Gemüsesuppe	2,80
Rindfleischsuppe	3,10

5.Getränke

Wasser (Flasche, 0,75 l)	1,10
Apfelsaft (Glas, 0,2 l)	1,50
Bier (Glas, 0,3)	1,75
Weißwein (Glas, 0,25 l)	2,90
Rotwein (Glas, 0,25 l)	2,90
Martini Cocktail (Glas)	5,50
Kaffee (Tasse)	1,30
Tee (Kännchen)	1,20

„Das Steak ist sehr gut. Der Fisch ist sehr frisch und der Salat schmeckt ausgezeichnet.
Also, ich nehme den Fisch mit Kartoffeln und noch einen Salat.
Was nimmst du?“ fragt Kathi.
„Ich nehme eine Suppe, die Rindfleischsuppe und das Steak mit Pommes und Gemüse“, antworte ich.

„Wir **möchten** gern **bestellen**!“, ruft Kathi.
„Bitte, was bekommen Sie?“, fragt John.
John ist der Kellner. Er trägt ein Namensschild.

„Ich nehme einen Salat, aber ohne Dressing. Geht das?“
„Ja, natürlich“, antwortet John.
„Und als Hauptspeise?“, fragt er weiter.

---

schmecken to taste | **ausgezeichnet** excellent | **die Rindfleischsuppe** beef soup | **bestellen** to order | **bekommen** to get | **tragen** to wear | **das Namensschild** name badge | **ohne** without | **natürlich** of course (here)

„Und als Hauptspeise nehme ich den Fisch mit Kartoffeln."
„Und was möchten Sie trinken?"
„Einen Wein. Ein Glas Weißwein."
„Und Sie, was bekommen Sie?", fragt er in meine Richtung.
„Ich nehme die Rindfleischsuppe, das Steak und ein Bier."
„Trinken Sie gern deutsches Bier?", fragt er.
„Tina liebt deutsches Bier", unterbricht Kathi.

Kathi hat recht. Ich trinke gern Bier.

Exkurs: Die Deutschen und ihr Bier

Die meisten Deutschen trinken gern Bier.
Nach Kaffee und anderen Getränken, wie Säften, Schorlen oder Wasser, kommt das Bier.
150 Liter Bier trinken die Deutschen im Durchschnitt pro Jahr.

In Deutschland gibt es viele Biersorten,
und sie schmecken alle verschieden.
Die meisten Biertrinker haben ihre Lieblingssorte
und ihre Lieblingsmarke.

---

die Richtung direction | **unterbrechen** to interrupt | **Recht haben** to be right | **nach** after | **(im) Durchschnitt** (on) average | **jeder** every | **das Getränk** drink | **der Saft** juice | **die Schorle** juice with sparkling water | **die Biersorten** types of beer | **verschieden** different | **die Lieblingssorte** favourite type | **die Lieblingsmarke** favourite brand

Das Münchener

Meine Freunde in Augsburg
trinken gern das Münchener.
Es ist in Bayern sehr beliebt.
Das Bier ist leicht und nicht sehr
herb.
Man trinkt es meistens aus 1-Liter Gläsern.

Das Weizenbier

Das Weizenbier trinkt man auch
vor allem in Bayern.
Besonders das Bananenweizen ist dort
sehr bekannt.
Es ist Weizenbier mit etwas Bananensaft.
Die Weizengläser sind sehr groß.

Das Kölsch

Ich trinke gern Kölsch.
Es kommt aus Köln.
Das Bier ist hell und leicht
und hat nur 3.7 % Alkohol.
Die Gläser sind hoch und schlank.
Im Sommer mischt man es oft mit
Limonade.

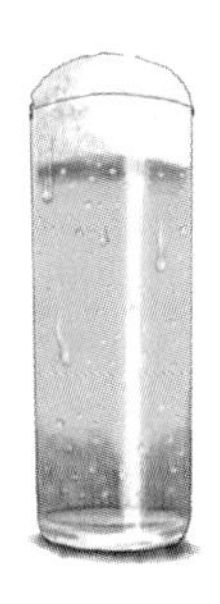

---

beliebt popular | **leicht** light | **herb** dry; bitter | **besonders** especially | **bekannt** wellknown | **der Bananensaft** banana juice | **hell** light in colour | **hoch** high | **schlank** thin; slim

Das Bockbier

Wer Starkbier mag, trinkt das Bockbier.
Es hat statt 4.7 % Alkohol sogar
5.6 % Alkohol.
Das Bockbier schmeckt ein bisschen süß.

Das Pils

Die Biersorte „Pils“ kommt aus der Tschechischen Republik, aber die Deutschen trinken es besonders gern. Man bekommt es in jedem Restaurant oder jeder Kneipe in Deutschland.

Berliner Weiße

Berliner Weiße ist ein Leichtbier.
Man mischt es oft mit Himbeer- oder Waldmeistersirup.
Das Bier ist dann rot oder grün und schmeckt leicht süß.
Meistens kommen sie in breiten Cocktailgläsern.

John bringt die Martinis.
„Bitte schön. Hier sind die Martinis.
Dein Wein und ein Glas Pils kommen sofort.
Die Martinis gehen aufs Haus“, sagt er freundlich.

---

das Starkbier brown ale, stout | **süß** sweet | **Himbeere** raspberry | **Waldmeister** sweet woodruff | **gehen aufs Haus** complimentary | **zeitgleich** at the same time

„Danke“, sagen Kathi und ich zeitgleich.

Kathi ist sehr sportlich.
Sie **geht** jeden Abend Tennis **spielen** und am Wochenende
geht sie meistens **schwimmen**.
Ich bin nicht so sportlich und **gehe** lieber im Park **spazieren**.

„Wie geht es Tim?“, fragt Kathi.

Tim ist immer ein Gesprächsthema. Leider.
Er **möchte** bald **heiraten**. Er **möchte** 4 Kinder **haben**.
Aber ich **möchte** noch keine Kinder **bekommen**.
Ich **möchte** noch nicht **heiraten**.

Wir essen, trinken und reden knapp **3 Stunden**.
Jetzt sind wir beide müde.

„Wir möchten bitte bezahlen“, ruft Kathi.
„Zusammen oder getrennt?“, fragt Kellner John.
„Zusammen, bitte!“, sage ich schnell. „Ich lade dich ein.“
„Ohh, vielen Dank!“
„Das macht **$ 20,15**“, sagt er.
„**$ 25**, stimmt so.“
„Danke schön“, sagt John.

Er bringt **2 Schokoladenpralinen**,
eine für Kathi und **eine** für mich.

---

das Gesprächsthema topic | **leider** unfortunately | **heiraten** to marry | **reden** to talk | **knapp** just under (here) | **beide** both | **müde** tired | **bezahlen** to pay | **getrennt** separate | **Ich lade dich ein** to pay for someone | **stimmt so** keep the change | **die Schokoladenpralinen** chocolates

Grammatik: **gehen + Infinitiv**, Modalverb **möchten + Infinitiv**
Info: **Zahlen**

„Hmmm, vielen Dank!“, sage ich.
„Ich liebe Pralinen.“

Sie schmecken wirklich sehr gut.

„Wer macht die Pralinen?“, frage ich.
„Der Koch macht sie selbst.“
„Ich mache auch Pralinen selbst“, sage ich verlegen.
Dann gehen wir.

Im Auto sehe ich den Brief von Tante Susi.
Fast vergessen!

---

der Koch chef; cook | **selbst** himself/herself | **verlegen** shyly, embarrassed

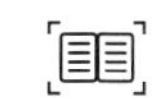

6 Ein Brief aus Deutschland

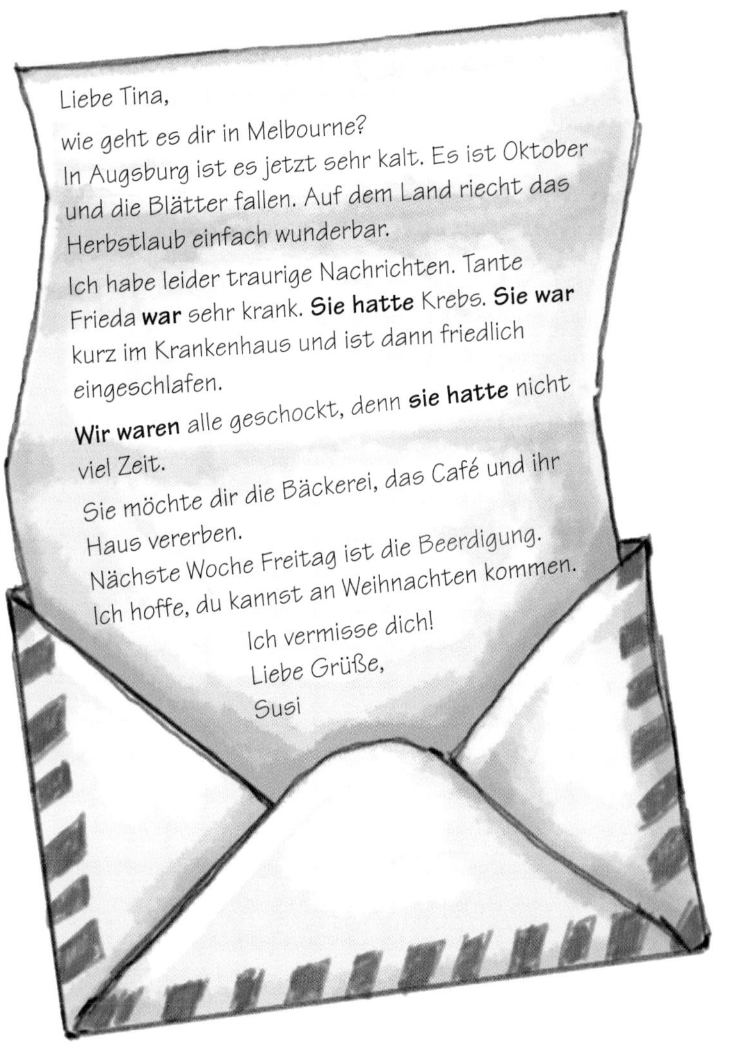

Liebe Tina,

wie geht es dir in Melbourne?
In Augsburg ist es jetzt sehr kalt. Es ist Oktober und die Blätter fallen. Auf dem Land riecht das Herbstlaub einfach wunderbar.

Ich habe leider traurige Nachrichten. Tante Frieda **war** sehr krank. **Sie hatte** Krebs. **Sie war** kurz im Krankenhaus und ist dann friedlich eingeschlafen.

Wir waren alle geschockt, denn **sie hatte** nicht viel Zeit.

Sie möchte dir die Bäckerei, das Café und ihr Haus vererben.
Nächste Woche Freitag ist die Beerdigung.
Ich hoffe, du kannst an Weihnachten kommen.

Ich vermisse dich!
Liebe Grüße,
Susi

---

die Beerdigung funeral

Grammatik: **sein** und **haben** im **Präteritum**

Ich war 6 Jahre alt, da **hatten meine Eltern** einen Autounfall.
Sie sind gestorben.
Tante Frieda war Mamas Schwester.
Mit 6 Jahren **war ich** dann allein.
Aber **Tante Frieda war** für mich da.
Ich hatte ein neues zu Hause
und **Tante Frieda war** meine neue Familie.
Tante Frieda hatte im Haus eine Bäckerei mit Café
und **ich war** oft da.
Wir hatten viele Leckereien, Brote, Brötchen und manchmal Pralinen. **Die waren** besonders gut.
Tante Frieda und ich hatten ein Rezeptbuch nur für unsere Pralinen.

Mit 19 Jahren **war ich** mit der Schule fertig.
Kathi und ich hatten immer viel Briefkontakt.
Mit 20 Jahren **hatte ich** einen Studienplatz in Melbourne.
Tante Frieda war ab dann allein.
Aber **Susi war** oft bei Tante Frieda im Café.
Sie waren auch oft zusammen im Theater oder im Park spazieren.

Tante Frieda ist nun gestorben.
Ich bin ganz geschockt.
Traurig fahre ich nach Hause.

---

der Autounfall car accident | **die Schwester** sister | **für mich da** to be there for so.; to look after so. | **die Leckerei** treat; goodies | **das Rezeptbuch** recipe book | **unser(e)** our | **mit der Schule fertig** finished with school | **der Briefkontakt** contact via letter | **der Studienplatz** university place | **ab dann** since then | **traurig** sad

Ich öffne die Wohnungstür.
„Hallo! Jemand zu Hause?", rufe ich.
Niemand antwortet.

Ich betrete die Wohnung
und gehe in die Küche.
Da ist Tim.
Er sortiert die Schmutzwäsche
nach Farben.

„Was machst du da?", frage ich.
„Ich sortiere die Schmutzwäsche für die Waschmaschine.
So können **die Farben** lange leuchtend bleiben".

Tim kann manchmal so weiblich **sein**.
Jetzt sucht er wild im Küchenschrank.
„Weißt du wo das Waschpulver ist?
Ich kann es nicht **finden**", sagt er.
„Nimm doch Spüli!"
„Bist du verrückt?" Tim rollt die Augen.

„Ich bin müde. **Ich muss schlafen**", sage ich
und gehe Richtung Schlafzimmer.
„Wie war dein Tag?", ruft er mir hinterher.

---

die Wohnungstür door of flat | **jemand** anyone | **niemand** nobody | **betreten** to enter | **sortieren** to sort sth. | **die Schmutzwäsche** laundry | **die Farbe** colour | **die Waschmaschine** washing machine | **können** to be able to | **leuchtend** bright | **bleiben** to stay | **manchmal** sometimes | **weiblich** feminine | **suchen** to search; to look for | **der Küchenschrank** cupboard | **das Waschpulver** washing powder | **nehmen** to take | **das Spüli** washing up liquid | **verrückt** crazy | **rollen** to roll | **müssen** to have to | **schlafen** to sleep | **das Schlafzimmer** bedroom | **hinterher** (here) after me /

Grammatik: Modalverben **können, dürfen, müssen**

„**Darf ich** dich morgen früh **wecken**?
Wir müssen morgen mit Ash und Peter ihre Hochzeit **planen**",
sagt er.

Tim und ich sind die Trauzeugen.

„Geht es dir nicht gut?", fragt er weiter
und kommt ins Schlafzimmer.
Ich schüttle den Kopf.

„Tante Frieda ist gestorben", sage ich leise.
„Was? War sie denn krank?"
„Ja. Sie hatte Krebs."
„**Das darf** nicht wahr **sein**.
Musst du jetzt nach Deutschland **fliegen**?"
„Ich weiß nicht. Ja, vielleicht.
Ich möchte jetzt gern alleine **sein**. Ist das OK?"
„Ja, natürlich."
„**Kannst du** die Tür **schließen**?"

Tim schließt die Schlafzimmertür.
Ich kann es noch nicht **glauben**.
Ich muss Susi **anrufen**.

---

dürfen to be permitted to | **wecken** to wake so. up | **die Hochzeit** wedding |
die Trauzeugen witness to a marriage | **schütteln** to shake | **der Kopf** head | **leise** quite |
fliegen to fly | **die Tür** door | **glauben** to believe | **anrufen** to call so.

7 Unterwegs in Melbourne

Melbourne, Dienstag, der 21. Oktober
Heute ist ein Feiertag in Melbourne.
Ich muss unbedingt mit Susi sprechen.

„Guten Morgen Tina. Willst du einen Kaffee?", fragt Tim.

Es ist erst 8 Uhr morgens und er ist schon seit 2 Stunden wach.
Er war schon joggen und beim Bäcker.

„Ja, gerne", sage ich und gehe in die Küche.

Ich liebe den Kaffeegeruch.
Ich trinke morgens immer einen Kaffee und esse meistens Müsli mit Banane.
Am Wochenende essen Tim und ich oft Brötchen mit Ei, Käse, Wurst, Honig oder Marmelade.
Aber heute möchte ich nur einen Kaffee.

„Was möchtest du zum Frühstück?", fragt Tim.
„Nur einen Kaffee, danke."

---

der Feiertag public holiday | **unbedingt** necessarily | **erst** only (here: without fail) | **wach** awake | **der Kaffeegeruch** smell of coffee | **meistens** mostly | **das Ei** egg | **der Käse** cheese | **der Honig** honey | **nur** only

„Aber du brauchst Energie. Wir wollen heute Ash und Peter treffen. Es sind nur noch 2 Wochen bis zur Hochzeit“, sagt er aufgeregt.
„Ich möchte heute aber lieber auf den Markt gehen und Susi anrufen.“

Tim schweigt. Er nimmt ein Brötchen, bestreicht es mit Butter, belegt es mit Käse und liest die Zeitung.

Ich gehe oft auf den Queen Victoria Markt.

Exkurs: Queen Victoria Markt

Der Queen-Victoria-Markt (engl. Queen Victoria Market oder umgangssprachlich Queen Vic Markets oder kurz Queen Vic) ist eine Sehenswürdigkeit in Melbourne.

Er ist der größte Freiluftmarkt der südlichen Hemisphäre. Es gibt den Markt seit 1850. Er ist ein Touristenziel. Man kann Obst und Gemüse, Fleisch, Geflügel, Meeresfrüchte und Feinkost, Gourmetwaren und Delikatessen bekommen. Es gibt aber auch non-food-Waren wie Bekleidung, Schuhe, Schmuck, handgearbeitete Kunst und Handwerkswaren.

---

brauchen to need | **die Wochen** weeks | **aufgeregt** excited | **schweigen** to be silent | **bestreichen** to spread | **belegen** to fill (here) | **umgangssprachlich** slang | **die Sehenswürdigkeit** point of interest | **der Freiluftmarkt** outdoor market | **die südliche Hemisphäre** southern hemisphere | **das Touristenziel** tourist feature | **das Geflügel** poultry | **die Meeresfrüchte** seafood | **die Feinkost** gourmet food | **die Gourmetwaren** gourmet goods | **die Delikatessen** delicatessen **die Waren** goods | **die Bekleidung** clothes | **der Schmuck** jewelry | **handgearbeitete Kunst** hand-crafted art | **die Handwerkswaren** hand-crafted goods

Ich kaufe meistens Gemüse, Fisch und Brot.
Sie haben deutsches Brot und Torte.

Ich gehe gern alleine auf den Markt.
Ich liebe die Gerüche und die Farben.
Und besonders liebe ich meinen Vormittag ganz für mich allein.

„Guten Tag, kann ich Ihnen helfen?", **fragt mich** der Verkäufer.
„Ja, ich suche Tomaten", erwidere ich.
„Wie viele **möchten** Sie denn?"
„Ich **möchte ein Pfund** bitte.
Und **haben** sie auch **frischen Basilikum**?"
„Ja, ein Bund?"
„Ja gerne", nicke ich und **nehme den Basilikum**.
Er ist sehr frisch.
„Ich brauche auch **ein Kilo Kartoffeln**."
„Gerne. **Möchten** Sie **eine Tüte** haben?"
„Nein Danke, ich **habe meinen** Korb."

---

die Torte cake, torte | **der Geruch** smell | **der Vormittag** morning | **ganz für mich allein** for myself | **der Verkäufer** sales person | **erwidern** to reply sth. | **das Pfund** pound | **der Basilikum** basil | **das Bund** bunch | **nicken** to nod | **die Kartoffeln** potatoes | **die Tüte** bag | **der Korb** basket

Grammatik: **Verben** mit **Akkusativobjekt**

Ich sehe mein Lieblingscafé und gehe rein.
Ich **bestelle einen Kaffee** mit Milch.
Ich **frage die Kellnerin:**
„Haben Sie heute **den Schokoladenkuchen**?"
„Ja, **möchten** Sie **ein Stück** haben?"
„Ja gern, ich **nehme den Kuchen** und **einen Kaffee** mit Milch."

Ich setze mich nach draußen in die Sonne.
Eine Nachricht von Kathi.

„**Möchten** Sie noch **etwas Kaffee**?", fragt die Kellnerin.
„Nein danke, ich hatte genug."

Die Kellnerin arbeitet hier schon seit etwa 6 Jahren.
Sie ist immer fröhlich und sehr freundlich.

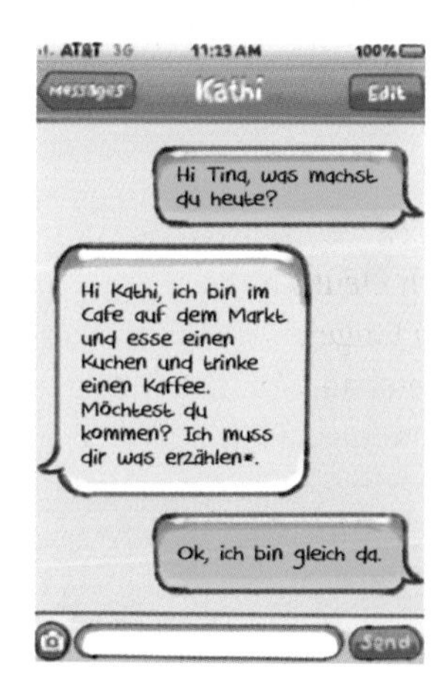

rein gehen to go inside | **der Schokoladenkuchen** chocolate cake | **das Stück** piece | **draußen** outside | **erzählen** to tell | **genug** enough | **fröhlich** happy

„Hallo Kathi, ich bin hier", winke ich.
„Hi, wie geht es dir? Wieso bist du eigentlich nicht zusammen mit Tim bei der Hochzeitsvorbereitung?"
„Tante Frieda ist gestorben", antworte ich leise.
„Oh Tina, das tut mir leid."
Sie setzt sich.

Ich erzähle ihr alles.
Von Tante Susi, dem Erbe der Bäckerei, dem Haus …

„Du hast was?
Die alte Bäckerei mit Café?"
„Ja", murmele ich und **schlürfe meinen Kaffee**.

„**Hast** du **einen Plan**?
Fliegst du jetzt nach Deutschland?"
„Ja, ich **habe** schon lange **einen Flug**.
Aber der ist leider erst an Weihnachten.
Was mache ich denn jetzt mit der Bäckerei?", **frage** ich sie.
„Na, du bist jetzt Bäckereibesitzerin.
Du lernst Backen und ziehst nach Deutschland!", sagt Kathi überzeugt.

---

winken to wave | **wieso** why | **die Hochzeitsvorbereitung** wedding preparation | **tut mir leid** I am sorry | **sich setzen** to sit down | **erzählen** to tell | **das Erbe** inheritance | **murmeln** to mumble | **schlürfen** to slurp, to sip | **die Bäckereibesitzerin** bakery owner | **ziehen** to move | **überzeugt** convinced

„Kathi, das geht nicht. Ich **habe einen Job** und Tim in Melbourne."
„Aber du arbeitest dort doch nicht gern. Und Tim versteht das schon."
„Nein, Tim versteht das nicht", erkläre ich und **esse meinen Kuchen**.

---

verstehen to understand

8 Eine Veränderung

Ich öffne die Wohnungstür.
Die muss ich mal ölen.
Quietscht schon seit 2 Wochen.

„Tina, bist du es?", ruft Tim.
„Ja", rufe ich zurück. „Wo bist du?"
„In der Küche", ruft er.

Ich gehe in die Küche. Tim ist aufgeregt.
„Komm, setz dich", sagt er.
„Ich hatte heute eine gute Idee für Peters und Ashs Hochzeit, also …"
„Tim!", unterbreche ich.
„Ich gehe nach Deutschland", platzt es heraus.

Was sage ich denn da?

„Entschuldigung, bitte was?"
„Ich gehe nach Deutschland", wiederhole ich
und fühle mich irgendwie erleichtert.
„Wie lange willst du denn bleiben?"
„Ich weiß es noch nicht. Vielleicht für ein paar Jahre.
Ich habe Tante Friedas Bäckerei geerbt."

Tim wird ganz blass.

ölen to oil | **quietschen** to squeak | **setz dich** sit down | **unterbrechen** to interrupt | **platzt es heraus** to burst out | **irgendwie** somehow | **erleichtert** relieved | **noch nicht** not yet | **geerbt** inherited | **blass** pale

„Du bist doch verrückt. Und dein Job in Melbourne?"
„Ich kündige", sage ich entschlossen.
„Tina, geh schlafen. Wir reden morgen.
Du bist müde."
„Nein", sage ich, „ich bin nicht müde."
„Ich habe andere Pläne für unsere Zukunft", sagt er.
„Ich weiß, und ich möchte dich nicht aufhalten."

Tim ist wie versteinert und verlässt den Raum.

---

kündigen to quit | **entschlossen** | determined **die Zukunft** future | **aufhalten** to stop | **versteinert** here: looks shocked

9 Auf Wiedersehen Melbourne!

Melbourne, Mittwoch, der 22. Oktober
Ich **wache** um 5 Uhr **auf** und bin noch müde.
Draußen ist es noch dunkel.
Tim **steht auf** und geht in die Küche.
Die Stimmung ist nicht gut.

„Guten Morgen", sage ich.
Tim nickt.
Ich dusche, **ziehe** mich **an**.
Dann frühstücken wir zusammen und schweigen.

„Ich **buche** heute meinen Flug **um**.
Ich möchte zur Beerdigung", sage ich und **richte** mich **auf**.

Tim nickt nochmal und trinkt weiter seinen Kaffee.
Das ist ja gar nicht so schlimm wie ich gedacht habe.
Ich **packe** meine Sachen **ein** und fahre zur Arbeit.

„Guten Morgen Frau …"
„Schneeberg", sage ich schnell und **starre** Frau Schmidt **an**.

Ich gehe weiter.
Am Schreibtisch ist ein Haufen Papiere.
Ich **stehe auf** und gehe zu meinem Chef.

---

aufwachen to wake up | **dunkel** dark | **aufstehen**: to get up | **die Stimmung** mood | **duschen** to shower | **anziehen** to get dressed | **schweigen** keep quiet | **umbuchen** to change a booking | **der Flug** flight | **aufrichten** to straighten up | **gar nicht so schlimm wie ich gedacht habe** not as bad as I thought it would be | **einpacken** to pack | **anstarren** to stare at so./st.

Grammatik: **trennbare Verben**

„Herr Spieker, haben Sie eine Minute Zeit?“
„Was ist denn?“, fragt er gestresst.
„Ich kündige“, sage ich schnell.
„Oh, das ist aber schade“, sagt er und bastelt Papierflieger.

„Schade?“, wiederhole ich geschockt.
„Wann verlassen Sie uns denn?“

Ich **sehe** ihn **an**.
„Morgen“, **füge** ich **hinzu**.
„Das ist sehr plötzlich“, sagt er und **sieht** mich **an**.
„Das geht eigentlich nicht.
Sie können nur zum Monatsende kündigen.“
„Meine Tante in Deutschland ist gestorben.
Ich fliege nach Augsburg.“
„Und Sie kommen nicht wieder?“

---

weitergehen to keep moving | **der Haufen** pile | **schade** a shame | **basteln** to do handicrafts (here: to make) | **der Papierflieger** paper aeroplane | **ansehen** to look at | **hinzufügen** to add sth.

„Nein ich bleibe in Deutschland.
Ich nehme 2 Wochen Urlaub, dann ist Monatsende."

„Schade" sagt Herr Spieker wieder desinteressiert.

Ich verlasse sein Büro und gehe zurück zum Schreibtisch.
SCHADE? Wie unverschämt.

Ich arbeite heute schnell.
Ich mache keine Pausen und packe um 5 Uhr meine Sachen zusammen.

Dann **rufe** ich das Reisebüro **an** und **buche** meinen Flug **um**.

„Guten Tag, mein Name ist Tina Schneeberg.
Ich möchte einen Flug umbuchen."
„Guten Tag Frau Schneeberg.
Warten Sie bitte einen Moment."

Ich warte und höre die schreckliche Wartemusik am Telefon.

„Wie ist denn Ihre Reservierungsnummer?"
„Meine Reservierungsnummer ist 34 MG 345 HJ."
„Ok, ich habe Ihren Flug hier.
Sie fliegen Heiligabend, ist das richtig?"
„Ja", antworte ich.
„Aber ich möchte den Flug gerne umbuchen.
Ich möchte gern früher fliegen. Geht das?"

---

desinteressiert disinterested | **unverschämt** brazen, barefaced | **zusammenpacken** to pack together | **anrufen** to call so. | **schrecklich** horrible | **die Wartemusik** holding music | **die Reservierungsnummer** reservation number | **Heiligabend** Christmas Eve | **früher** earlier

„Einen Moment, bitte."
„Wann möchten Sie denn fliegen?
Ich habe einen Flug von Melbourne nach Augsburg
in 3 Wochen."
„Geht es nicht früher? Noch diese Woche?"
„Einen Moment."
Wieder höre ich diese Wartemusik.

„Also, morgen oder übermorgen habe ich nichts.
Aber Sie können nächsten Mittwoch am Nachmittag
um **14.25 Uhr** von Melbourne, über Doha nach München
fliegen.
Sie kommen dann donnerstags, morgens um **11.15 Uhr** in
München an.
Von München nehmen Sie den ICE nach Augsburg.
Das dauert etwa **1 Stunde**.
Oder Sie fahren mit dem Auto."
„Oh, das ist fantastisch!
Wie viel kostet die Umbuchung?"
„Sie kostet **$ 100** extra.
Wir belasten Ihre Kreditkarte, ist das in Ordnung?"
„Ja, natürlich", sage ich.
„Kann ich noch etwas für Sie tun?"
„Nein, vielen Dank für Ihre Hilfe", sage ich
und lege auf.

Ich mache meine Arbeit fertig.
Dann fahre ich nach Hause und gehe sofort ins Bett.

Einen Moment, bitte Just a moment, please | **morgen** tomorrow | **übermorgen** the day after tomorrow | **der Nachmittag** afternoon | **morgens** in the morning | **belasten** charge (here) | **in Ordnung** OK | **Kann ich noch etwas für Sie tun** Can I do anything else for you

Info: Uhrzeit, Zahlen

In den nächsten Tagen habe ich viel zu tun.
Ich **muss packen**, Susi **anrufen** und mich von meinen Freunden und den Kollegen **verabschieden.**

Melbourne, Donnerstag, der 23. Oktober

Erst fahre ich ins Büro.
Ich räume meinen Schreibtisch auf und verlasse das Büro.
Der Abschied geht schnell.
Sarah war heute nicht da.
Herr Spieker sieht jetzt doch etwas traurig aus.
Jetzt **muss** ich nur noch an der Rezeption **vorbeigehen**.

„Verlassen Sie uns?", fragt Frau Schmidt.
„Ja, ich **muss** nach Deutschland **fliegen**.
Eine Familienangelegenheit."
„Viel Glück. Schreiben Sie eine Karte!", ruft sie hinterher.

Dann rufe ich Susi an.

„Hallo?" Susi nimmt den Hörer ab.
„Hallo Susi!", sage ich „Hier ist Tina."
„Tina, wie schön!"
„Wie geht es dir?", frage ich.
„Ich bin sehr beschäftigt.
Es gibt hier so viel Arbeit in der Bäckerei."

---

aufräumen to tidy up | **verlassen** to leave | **der Abschied** Goodbye | **aussehen** to look | **vorbeigehen** to pass by | **die Familienangelegenheit** family business | **Viel Glück** Good luck | **hinterher** after (me) (here) | **der Hörer** receiver | **beschäftigt** busy

Grammatik: Modalverben **müssen** und **können**

„Ich komme nächste Woche nach Augsburg", sage ich.
„Wirklich? So schnell?
Das ist ja fantastisch Tina!
Wie lange bleibst du?"
„Ich habe keinen Rückflug."
„**Kann** ich dich von Flughafen abholen?"
„Ja, natürlich", sage ich.

Susi erzählt von Tante Frieda und der Bäckerei.
Wir unterhalten uns lange.

---

der Rückflug return flight | **abholen** to pick up | **sich unterhalten** to talk | chat

Melbourne, Dienstag, der 28. Oktober

Morgen fliege ich nach Deutschland!
Es ist jetzt 17.20 Uhr und um 18 Uhr holt Kathi mich ab.
Ich **muss** meinen Koffer bei Tim **abholen**,
und die letzten Sachen **einpacken**.
Vielleicht packe ich auch besser mein Backbuch ein?

Kathi wartet schon im Auto.
Ich **möchte** schnell **einsteigen**.
Wir fahren zu Tim.
Er wartet schon draußen mit meinem Koffer.

„Du musst tun, was du tun musst. Richtig?“,
fragt er und geht wieder ins Haus.
Ich nehme die Koffer und gehe zurück zu Kathi.

Ich verbringe den letzten Abend in Melbourne mit Kathi.
Sie kocht ein leckeres Abendessen.
Wir essen und unterhalten uns lange.

Am nächsten Morgen geht es endlich los.
Ich packe meine Sachen zusammen und Kathi drückt mir noch einen Cupcake zum Mitnehmen in die Hand.
Dann geht es los.
Auf dem Weg zum Flughafen hören wir Kathis Lieblingsband im Auto.

---

der Koffer suitcase | **draußen** outside | **Du musst tun, was du tun musst** You have to do what you have to do | **geht es endlich los** it is finally time | **drücken** to press | **zum Mitnehmen** to take away

Grammatik: **Modalverben** mit **trennbaren Verben**

Exkurs: Die Toten Hosen

Die Toten Hosen sind eine Musikgruppe aus Düsseldorf.
Es gibt die Band seit 1982.
Sie spielen deutsche Rockmusik und sind sehr erfolgreich.
Der Name heißt übersetzt auf Englisch „The Dead Pants/ Trousers".
„Tote Hose" ist ein deutscher Ausdruck
und bedeutet so viel wie „nothing going on" oder „boring".

Kathis Lieblingslied ist „Hier kommt Alex".
Ein Lied aus dem Jahr 1988.
Der Text ist von dem Sänger Campino.
Mit Alex ist Alexander Delarge gemeint.
Er ist ein Protagonist in Anthony Burgess Buch
„A Clockwork Orange" aus dem Jahr 1962.
Alex ist hier ein Anführer in einer Jugendbande.

Am Flughafen verabschieden Kathi und ich uns.
Jetzt bin ich doch etwas traurig.
Ich gebe meinen Koffer am Schalter ab, gehe durch einige Kontrollen und weiter in die Abflughalle.
Auf dem Bildschirm sehe ich meinen Flug.

---

erfolgreich successful | **übersetzen** to translate | **der Ausdruck** expression | **bedeuten** to mean | **das Lieblingslied** favourite song | **der Anführer** leader | **die Jugendbande** teenage gang | **der Flughafen** airport | **sich verabschieden** to say goodbye to each other | **traurig** sad | **abgeben** to hand in sth. | **der Schalter** counter (here: check-in desk) | **einige** some | **die Abflughalle** departure lounge | **der Bildschrim** screen

Hier bin ich jetzt.
Allein am Flughafen.

Der Abflug ist von Gate 28.
Ich habe noch 50 Minuten Zeit.
Ich kaufe einen Kaffee und esse meinen Schokoladen-Cupcake.

Auf Wiedersehen Melbourne.

---

der Abflug departure

10 Willkommen in Augsburg

Augsburg, Donnerstag, der 30. Oktober
2 Tage später komme ich in München am Flughafen an.

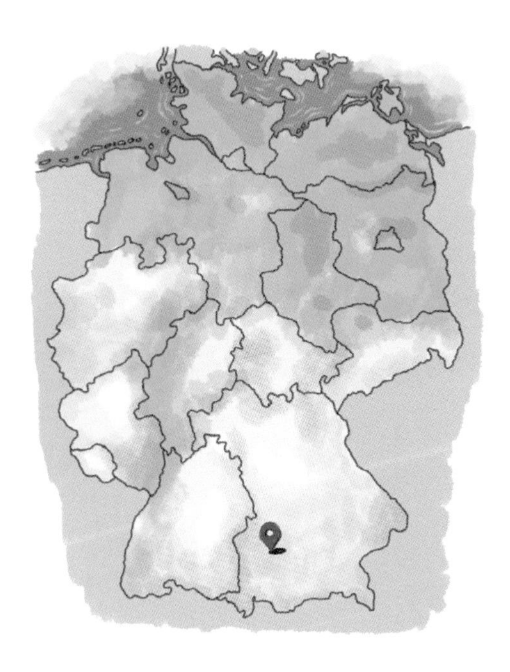

Ich hole meinen Koffer von der Gepäckausgabe und gehe zum Ausgang.

---

die Gepäckausgabe baggage claim area | **der Ausgang** exit | **der Ankunftsbereich** arrival area

In dem Ankunftsbereich steht Susi.

„Tina!“, ruft sie.
Ich laufe zu Susi und umarme sie.
„Wie war der Flug?“, fragt sie neugierig.
„Sehr lang aber OK“, sage ich erschöpft.

Wir gehen zum Auto.
Ich schmeiße den Koffer in den Kofferraum und steige ein.
Wir fahren durch München nach Augsburg.
Ich liebe München.
Im Sommer sind die Menschen in Cafés und auf Märkten,
sie liegen in Parks und an Seen.
Heute scheint die Sonne und alle Leute sind draußen
und genießen das Wetter.

„Hast du Hunger?“, fragt Susi.
„Ja, ein bisschen.“
„Ich habe einen Datschi und Tee für dich zu Hause.“

Ich liebe Susis Datschi.
Meistens gibt es dazu Sahne.

„Sehr gern!“, sage ich.

---

neugierig curious | **erschöpft** exhausted | **schmeißen** to chuck sth. | **der Kofferraum** boot | **der See** lake | **genießen** to enjoy | **dazu** with it | **die Sahne** cream

Exkurs: Augsburg

Steckbrief:
Bundesland: Bayern
Einwohner: 270.000
Gründung: 15 v. Chr.
Dialekt: Schwäbisch/Bayerisch

Augsburg ist sehr alt.
15 v. Chr. gründet der römische Kaiser Augustus die Stadt.

Die Maximilianstraße ist eine berühmte Straße in Augsburg.
In der Straße gibt es viele Cafés, Geschäfte und Restaurants.

gründen to found sth. | **der römische Kaiser** roman emperor | **berühmt** famous

Hier findet man auch den Herkulesbrunnen
und viele andere interessante Bauwerke.

Die Hausfassaden sind im Barock- und Renaissancestil.
Sie zeigen die Geschichte und die Tradition der Stadt.
Beispiele der Barockkunst findet man im Maximilian-
museum in der Innenstadt.
Das Rathaus ist das Augsburger Wahrzeichen.
Der Saal im Rathaus ist golden.

---

das Bauwerk building | **die Hausfassaden** front facing side of a building | **Barock- und Renaissancestil** baroque and renaissance style | **zeigen** to show | **die Geschichte** history | **das Beispiel** example | **die Barockkunst** baroque art | **die Innenstadt** city centre | **das Rathaus** town hall | **das Wahrzeichen** the town's landmark | **der Saal** hall

Augsburg ist eine soziale Stadt.
1521 gründet der Kaufmann Jakob Fugger hier die „Fuggerei", eine Sozialsiedlung.

Die „Fuggerei" ist eine Sehenswürdigkeit in Augsburg und erfüllt noch heute ihren Zweck.
Es ist die älteste Sozialsiedung der Welt.
Noch heute ist die Kaltmiete für eine Wohnung nur 0,88 Euro im Jahr.

Augsburg ist auch bekannt für die Augsburger-Puppenkiste.
Seit mehr als 60 Jahren sind Figuren wie „Jim Knopf und Lukas der Lokomotivführer" die Stars.

---

soziale Stadt social city | **der Kaufmann** businessman | **die Sozialsiedlung** social housing area | **einen/ihren Zweck erfüllen** to serve a purpose | **älteste** oldest | **die Kaltmiete** basic rent, exclusive of heating and utilities

Angekommen.
Wir stehen **in dem Garten.**
Im Garten sind viele Pflanzen und Bäume.
Sogar der Lavendelbaum blüht noch.

Die anderen Bäume verlieren schon ihre Blätter.
Das Laub bedeckt den Garten und färbt alles gelb, orange und rot. Es sieht toll aus.

---

angekommen arrived | **die Pflanze** plant | **der Baum** tree | **der Lavendelbaum** lavender tree | **das Laub** foliage | **bedecken** cover | **färben** to colour | **es sieht toll aus** it looks pretty

Grammatik: **Wechselpräpositionen** mit **Dativ**

Die Kastanien liegen schon **auf dem Boden**.
Ich nehme eine Kastanie hoch.
Sie ist dunkelrot und ganz glatt.

„Hier ist dein Schlüssel“, sagt Susi
und wir gehen ins Haus.

Alles sieht so aus wie früher.
Das Haus ist klein.
Es hat ein Schlafzimmer, ein Kinderzimmer,
ein Wohnzimmer, eine Küche und ein Badezimmer.
Es hat auch ein Gäste-WC.
Im Flur steht eine Kommode.

Auf der Kommode steht ein
Foto von Susi, Tante Frieda
und mir.
Ich bin 7 Jahre alt.
Wir stehen **vor dem Haus**.
Es ist Sommer und **neben
dem Haus** blühen die
Blumen.

„Komm Tina, ich bin **in der Küche**.
Ich habe Kaffee und Kuchen für dich“.

---

die Kastanie conker | **glatt** smooth | **der Schlüssel** key | **klein** small | **die Kommode** chest of drawers | **blühen** to bloom

Mein Koffer steht **im Flur, an der** Wand.
In der Küche sitzt Susi **am Tisch.**
Die Heizung ist an und es riecht wunderbar nach Zwetschgendatschi.

„Setz dich Tina", sagt sie.
„Oder willst du erst dein Zimmer sehen?"
„Gleich", sage ich. „Zuerst möchte ich mit dir reden und den leckeren Kuchen essen."

Nach dem Essen gehen wir in mein altes Kinderzimmer.
In dem Zimmer ist alles wie früher.
Mein Bett steht **in der** Ecke, mein Schreibtisch **an der Wand, unter dem** Fenster.
Die Fotos von Tante Frieda und mir hängen an der Wand, **über den Pflanzen.**

die Wand wall | **die Heizung** heating | **zuerst** first | **die Ecke** corner | **das Fenster** window

Ich packe meine Kleider aus.
Ich mache meinen Schrank auf.

„Hier hängen ja meine alten Kleider **an den** Kleiderbügel**n im Schrank**", sage ich.

Ich nehme einen Kleiderbügel und hänge meine Kleider auf.

„Ich gehe jetzt nach Hause, Tina. Ist das OK?
Im Kühlschrank ist eine Suppe und frisches Brot."
„Vielen Dank Susi."
„Ich hole dich morgen um 7 Uhr morgens ab.
Dann fahren wir zum Friedhof.
Die Beerdigung fängt um 9 Uhr an", sagt sie.

Sie gibt mir einen Kuss auf die Wange
und macht die Tür zu.

Ich liege **auf dem Bett** und **auf der Bettdecke** und schlafe ein.

---

auspacken unpack | **die Kleider** clothes | **der Kleiderbügel** coat hanger | **der Friedhof** cemetery | **der Kuss** kiss | **die Wange** cheek | **die Bettdecke** blanket

11 Die Beerdigung

Augsburg, Freitag, der 31. Oktober
Es ist 6 Uhr morgens und mein Wecker klingelt.
Langsam realisiere ich, wo ich bin.
Ich stehe auf und gehe **in die Küche.**
In der Küche steht noch der Rest Datschi von gestern.
Ich breche ein Stück ab und schiebe es **in meinen Mund.**
Im Kühlschrank finde ich noch Sprühsahne.
Ich sprühe jetzt auch noch Sahne **auf einen Löffel**
und schiebe ihn **in den Mund.**
Im Mund mische ich alles zusammen. Mmmm.

Was ist denn das?
Draußen **hinter dem Küchenfenster** ist Susi.
Ich öffne die Tür und laufe **nach draußen.**
„Was machst du denn da, Susi?", frage ich.
„Ich sammle Kastanien für die Tischdekoration."
„Achso. Ich ziehe nur schnell mein Kleid an,
dann bin ich auch fertig", sage ich und laufe zurück **ins Haus.**

Susi stellt zwei Körbe **auf den Tisch.**
„Was ist da drin?", frage ich neugierig.
„Kekse, Kuchen und ein paar Brote für den Leichenschmaus."

---

der Wecker alarm | **langsam** slowly, slow | **abbrechen** to break | **schieben** to push | **die Sprühsahne** whipped cream | **mischen** to mix | **sammeln** to collect | **die Tischdekoration** table decoration | **stellen** to put | **da drin** in there | **der Keks** biscuit | **der Leichenschmaus** funeral meal

Grammatik: **Wechselpräpositionen** mit **Dativ** und **Akkusativ**

„**Nach der Beerdigung** kommen die Verwandten und ein paar Freunde in die Bäckerei.
Wir essen und trinken viel und nennen es Leichenschmaus“, erklärt Susi.
Das kenne ich aus Australien.

Nach der Trauerfeier kommen alle Gäste direkt **zu uns** in die Bäckerei.
Viele Familienmitglieder und einige Freunde sind schon da.
Auf den Tischen stehen die Kuchen.
Die Gäste reden, essen Kuchen und trinken Kaffee.
Susi läuft in der Bäckerei hin und her.
Ich verteile die Kuchenteller und Kuchengabeln.

„Tina, wie geht es dir?“, fragt eine Stimme.
Ich erkenne die Stimme. Es ist Frau Himmel.

---

die Verwandten relatives | **nennen** to call so. sth. | **die Trauerfeier** funeral service | **die Familienmitglieder** family members | **hin und her** back and forth | **der Kuchenteller** dessert plate | **die Kuchengabel** pastry fork | **erkennen** to recognize

 Grammatik: **Präpositionen** mit Dativ **nach, zu, von**

Sie war früher schon oft in unserer Bäckerei.
Sie ist sehr elegant.
Sie trägt meistens Lederhandschuhe,
ihre Haare sind immer **zu einem Dutt** hochgesteckt
und sie hat ein Seidentuch um den Hals.
Sie sitzt allein am Tisch und schlürft eine Tasse Tee.

Ich gebe Frau Himmel ein Stück Kuchen.

„Wohnst du noch in Australien?", fragt sie.
„Nein, ich wohne jetzt hier.
Ich fliege nicht zurück **nach Australien**.
Ich bleibe für eine Weile hier in Augsburg.
Ich besitze ja jetzt die Bäckerei **von Tante Frieda**."

„Kannst du denn auch backen?"
„Nein, nicht so gut aber ich möchte es lernen."

Frau Himmel schaut weg.
„DU besitzt jetzt die Bäckerei", wiederholt sie
und betont DU besonders stark.
„Ja. Bald backe ich hoffentlich so gut wie Tante Frieda!"
„Na dann viel Glück", sagt sie, stellt den Kuchen auf den Tisch
und geht in den Garten.
Komisch.

„Frau Himmel ist eine Stammkundin **von uns**", flüstert Susi
leise.

---

die Lederhandschuhe leather gloves | **der Dutt** (hair) bun | **hochgesteckt** pinned up | **eine Weile** a while | **wegschauen** to look away | **betonen** to accentuate | **komisch** strange | **die Stammkundin** regular customer | **flüstern** to whisper

Die Gäste stehen draußen unter dem Lavendelbaum.
Ich stelle mich **zu ihnen**.

„Frieda war die beste Konditorin und Bäckerin in der Stadt“, sagt Frau Himmel und verlässt die Feier.

Nach drei Stunden ist der Leichenschmaus vorbei.
„Ich räume noch schnell auf“, sagt Susi und nimmt den Besen.

Nach einer Stunde sind wir endlich fertig und fahren nach Hause.
Ich gehe ins Haus, lege die Schlüssel auf die Kommode und gehe in die Küche.
Ich setze mich auf den Küchenstuhl.
Ich muss schnell backen üben.

Ich sehe in die Küchenschränke aber statt Backformen finde ich Pralinengitter.
Sie sind ganz alt aber noch sauber und noch nicht rostig.

In den Schränken finde ich ein Thermometer, eine Pralinengabel, einen Spritzbeutel und eine Schüssel.
Alles da.

Im Schrank finde ich eine Flasche Sekt, weiße Schokolade, Hohlkörper, Butter und Schlagsahne.

---

die Konditorin confectioner, pastry cook | **die Feier** party | **vorbei** over (here) | **der Besen** broom | **endlich** finally | **der Küchenstuhl** kitchen chair | **schnell** fast | **die Backform** cake pan | **das Pralinengitter** praline tray | **rostig** rusty | **das Thermometer** thermometer | **die Pralinengabel** praline fork | **der Spritzbeutel** piping bag | **die Schüssel** bowl | **die Schokolade** chocolate | **der Hohlkörper** chocolate mould for making pralines

Grammatik: **Präpositionen** mit Dativ **nach, zu, von, mit, aus**

Vorsichtig koche ich die Schlagsahne auf und nehme sie **vom Herd**. Ich rühre den Sekt, die weiße Schokolade und die Butter **mit einem Rührlöffel** unter.
Jetzt muss es abkühlen.

Ich fülle alles in die Hohlkörper und verschließe sie **mit der Schokolade aus dem Spritzbeutel**.
Ich nehme die Pralinen **vom Gitter** und lege sie auf den Tisch.
Sie müssen jetzt abkühlen.
Ich setze mich wieder auf den Küchenstuhl und beobachte sie.
Nach 20 Minuten pieke ich eine auf die Pralinengabel und stecke sie in meinen Mund.

In meiner Fantasie bin ich die Chefin in einer Confiserie und stelle den ganzen Tag Pralinen her.
In der Realität muss ich backen lernen und Kuchen verkaufen.

Es ist schon 3 Uhr morgens und ich gehe ins Bett.

---

vorsichtig careful(ly) | **aufkochen** boil up | **der Herd** stove | **unterrühren** to stir in | **der Rührlöffel** muddler, cooking spoon | **abkühlen** to cool down | **füllen** to fill | **verschließen** to seal | **das Gitter** mash cooling tray (here) | **beobachten** to look at sth. | **pieken** to prick | **die Confiserie** confectionary | **herstellen** to produce, to make

12 Die Bäckerei

Augsburg, Montag, der 03. November
Es ist Montagmorgen.
In 48 Stunden öffne ich die Bäckerei.
Die Sonne scheint und das rote Laub im Garten leuchtet.
Ich sehe durch das Küchenfenster in den Garten und denke 22 Jahre zurück, wie Tante Frieda und ich im Garten spielen.
Ein Klopfen an der Tür reißt mich aus meinen Gedanken.
Ich gehe zur Tür und sehe durch das Türfenster.

„Guten Morgen, Susi."
„Guten Morgen, mein Kind. Wir haben heute viel zu tun!", sagt sie und läuft mit 2 vollen Taschen in die Küche.

Wir gehen in die Backstube.
Sie ist hinter der Küche direkt an der Bäckerei.
Susi packt ihre Taschen aus:
Mehl, Zucker, Eier, Milch und mehr.

„Wir müssen backen üben, mein Kind", sagt Susi.
„Ich kann doch nicht immer das Brot und die Kuchen für die Bäckerei backen."
Sie hat recht.

„Hier ist eine Schürze", sagt sie.
„Und hier ist das Rezept. Wir backen einen Topfkuchen.
Er kann nach Geschmack variiert werden."

---

leuchten to glow | **klopfen** to knock | **reißen** to tear | **die Gedanken** thoughts | **voll** full | **das Mehl** flour | **der Zucker** sugar | **die Eier** eggs | **die Milch** milk | **Sie hat Recht** she is right | **die Schürze** apron | **der Topfkuchen** ring cake | **der Geschmack** taste

Susi liest das Rezept vor.
Ich kann ihr nicht folgen.

„Bitte langsam!"

Susi liest die Zutaten vor.

DIE ZUTATEN FÜR DEN TOPFKUCHEN:
- 500 g Weizenmehl
- 250 g Zucker
- 250 g Margarine
- 4 Eier
- 1 Päckchen Backpulver
- 2 bis 3 Päckchen Vanillinzucker

DIE ZUBEREITUNG:
Los geht es mit der Margarine. Sie soll sehr weich sein.
Geben Sie die Margarine in eine Rührschüssel.
Schlagen Sie die Margarine cremig.
Geben Sie dann den Zucker und den Vanillinzucker hinzu.
Geben Sie danach die Eier hinzu.
Lassen Sie sich beim Rühren Zeit.

---

vorlesen to read out loud | **das Päckchen** sachet | **das Backpulver** baking powder | **der Vanillinzucker** vanilla sugar | **die Zubereitung** preparation | **weich** soft | **die Rührschüssel** mixing bowl | **schlagen** beat | **hinzu** in addition | **lassen**: to let (here: lassen Sie sich Zeit = take your time) | **der Teig** dough

Grammatik: **Sie-Imperativ**, Imperativ mit **lassen**

Lassen Sie den Teig cremig werden.
Geben Sie das Mehl und den Zucker langsam hinzu.
Verrühren Sie alles zusammen.
Probieren Sie gern den Teig vor dem Backen?
Dann **machen Sie** es jetzt.
Geben Sie jetzt das Backpulver hinzu.
Fetten Sie die Backform mit Margarine.
Füllen Sie den Teig in die Backform.
Stellen Sie den Backofen auf 170 Grad.
Schieben Sie die Backform in den Ofen.
Lassen Sie den Teig etwa 40 Minuten im Ofen.
Holen Sie den Kuchen aus dem Ofen
und **nehmen Sie** den Kuchen aus der Backform.
Lassen Sie den Kuchen **abkühlen.** Fertig!

Schritt für Schritt folge ich dem Rezept.

„Gut, jetzt 40 Minuten in den Backofen und er ist fertig", sagt Susi.

Wir räumen die Küche auf.
Und warten.
Nach 40 Minuten
öffne ich den Ofen.

„Fantastisch!", sagt Susi.

---

langsam slowly | **verrühren** to mix (here) | **probieren** to try, to taste | **jetzt** now | **der Backofen** oven | **Schritt für Schritt** step by step

Rezept: Topfkuchen

Augsburg, Mittwoch, der 05. November

Es ist 7 Uhr morgens.
In 30 Minuten ist die Eröffnung.

Susi ist schon in der Backstube.
Ich gehe in den Garten und sammle Kastanien
für die Tische im Café. Ich dekoriere die Tische.
Susi stellt die Kuchen auf den Tresen.

Die Gäste können kommen.

„Ich stelle deine Pralinen auf den Tisch", sagt Susi.
„Aber warum?", frage ich irritiert.
„Vielleicht kauft sie jemand", sagt sie und schiebt sich eine
Praline in den Mund.

Es ist 7:30 Uhr und ich schließe die Bäckereitür auf.

Nicht Frau Himmel, aber ein Mann steht vor der Tür.
Er trägt einen Anzug.

„Guten Morgen", sage ich.
„Morgen. Sind Sie neu hier?" fragt der Mann.

Wie unfreundlich.
„Ja. Ich bin die Nichte von Frieda."

---

die Eröffnung opening | **der Tresen** counter | **jemand** someone | **der Anzug** suit |
unfreundlich unfriendly | **die Nichte** niece

Er geht an mir vorbei, direkt zu den Pralinen.
„Machen Sie die Pralinen selbst?“, fragt er.

Er ist bestimmt Banker von Beruf. Wie Tim.
Eigentlich mag ich diese Typen nicht. Im Anzug …

„Ja“ antworte ich kurz.

Sein Handy klingelt:
„Ja? Nein, der Termin ist morgen. Ja, bis später.“
Er steckt sein Handy wieder in die Tasche.

„Ein Mehrkornbrot bitte.“
„Gerne“, sage ich. „Noch etwas?“

„Was sind das für Pralinen?“
„Ach die, die haben wir nur heute. Es sind Cielo-Pralinen. Das ist Spanisch und bedeutet Himmel“, erkläre ich und denke dabei an Frau Himmel.“
„Darf ich eine probieren?“, fragt der Mann.
„Natürlich. Hier, nehmen Sie.“
„Hm, hmmmm … die sind himmlisch gut!“, sagt der Mann mit der Praline im Mund.
Immerhin hat er Geschmack.

„Entschuldigen Sie. Ich bezahle sie natürlich.
Sie schmecken wirklich sehr gut.“
„Wie viele möchten Sie?“, frage ich und drehe mich zu den Pralinen.

---

vorbeigehen to go past so. | **bestimmt** surely | **klingeln** to ring | **der Termin** appointment | **bis später** see you later | **das Mehrkornbrot** wholemeal bread | **immerhin** at least

Plötzlich hänge ich mit meiner Schürze an dem Backblech am Wagen fest und stürze mit dem Wagen auf den Boden. Das Backblech fällt auf meinen Kopf.
„Autsch“.

Schnell kommt Susi aus der Backstube gelaufen.
„Kindchen. Bist du OK?“, fragt sie.
„Ja, alles OK“, sage ich und stehe auf.

„Sie müssen aufpassen!“, sagt der Mann.
Klugscheißer!

„Sie bluten an der Stirn“, sagt er.
„Blut?“ wiederholt Susi.

Susis Gesicht ist jetzt ganz weiß.
Sie fällt langsam auf den Boden.

Der Mann zieht seine Anzugjacke aus und läuft zu Susi.

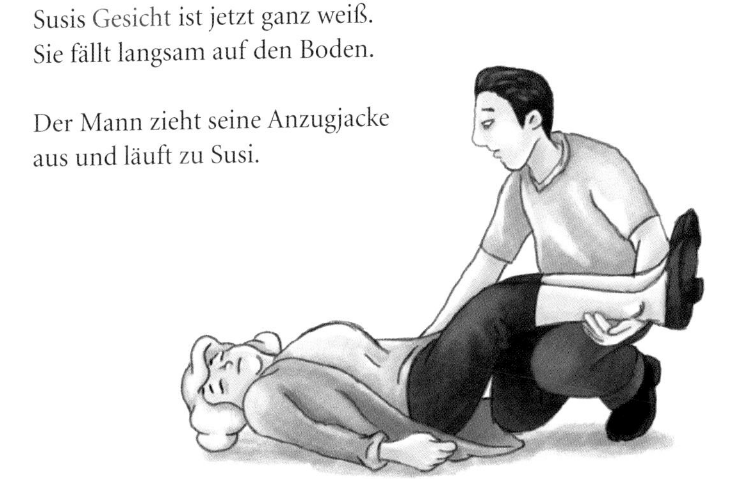

---

festhängen to get caught on sth. | **das Backblech** baking tray | **der Wagen** trolley | **stürzen** tumble, fall | **der Boden** ground | **aufpassen** to pay attention | **der Klugscheißer** smart ass | **bluten** to bleed | **die Stirn** forehead | **das Gesicht** face

„Sie hat einen Kreislaufzusammenbruch.
Wir müssen ihre Beine hochlegen“ erklärt er ruhig.

Zusammen drehen wir Susi in die Position.
Langsam wacht sie wieder auf.

„Was ist passiert?“, fragt Susi.
„Nur ein Schwächeanfall“, antworte ich.
„Vielen Dank, Herr …“
„Meyer. Franz Meyer.“
„Vielen Dank Herr Meyer.“

Typisch deutscher Name.

„Geben Sie Ihrer Tante eine Cola.
Zucker und Koffein helfen“, sagt er.

Er steht auf und geht zurück vor den Tresen.
„Also, das Brot und 5 Pralinen bitte.“
Die Pralinen gehen aufs Haus“, sage ich.
„Das macht 2 Euro 30 für das Brot.“
„Hier sind 4 Euro.
Ich muss wissen, wie Sie die Pralinen herstellen.
Zeigen Sie es mir?“
„Ja“, sage ich verlegen.

Er dreht sich um.
„Bis morgen“, ruft er und geht durch die Tür.

Bis morgen?

---

der Kreislaufzusammenbruch fainting | **passieren** to happen | **der Schwächeanfall** sudden feeling of faintness

Ich gehe zu Susi.
Sie hat wieder Farbe im Gesicht.
„Tina. Hier liegt sein Portemonnaie auf dem Tresen!"
„Zu spät. Er kommt wieder."

Ich nehme sein Portemonnaie und lege es in die Schublade.

„Er mag deine Pralinen!", sagt Susi.
„Hier, hier ist deine Cola", sage ich und setze mich neben Susi auf den Boden.

Die Zeit vergeht langsam.
Um 16 Uhr schließe ich die Bäckerei.
Außer Franz waren heute nur 2 andere Kunden da.

Ich packe die Brote, Kuchen und Brötchen in eine Kiste und rufe die Tafel an.

Draußen ist es schon fast dunkel.
Ich gehe in den Garten zum Lavendelbaum.
Ein Wunder. Er blüht fast das ganze Jahr.
Die Blüten riechen stark nach Lavendel.
Ich liebe den Geruch.

Ich nehme ein paar Lavendelblüten vom Baum, gehe zurück in die Küche und lege sie auf den Tisch.
Tante Frieda hatte doch ein Rezept für Pralinen mit Lavendelblüten. Wo ist es denn?

---

das Portemonnaie wallet | **die Schublade** drawer | **außer** except (here: apart from) | **andere** other | **die Kiste** box | **die Tafel** food bank | **die Blüten** blossom

Ich suche in den Schubladen im Küchenschrank und finde ein Buch. Ich schlage das Buch auf.
Hier sind alte Rezepte von Tante Frieda und mir.
Ich blättere durch die Seiten.
„Lavendel-Pralinen", lese ich.
Hier ist es!

„Für Tina, die Träumerin", steht über dem Rezept.
Das Rezept ist für 12 Lavendel-Pralinen.

Im Kühlschrank finde ich Schlagsahne.
Im Küchenschrank finde ich Pralinenkörper, Zucker und weiße Schokolade.

Ich lese das Rezept:

Geben Sie die Schlagsahne in einen Topf.
Geben Sie ¼ Teelöffel Lavendelblüten
und 1 Teelöffel Zucker in den Topf.

Ich rühre alles zusammen.
Es kocht ein paar Minuten auf dem Herd und die ganze Küche riecht schon wunderbar nach Lavendel.

Gießen Sie alles durch ein Sieb in eine Schüssel.
Geben Sie 60 Gramm weiße Schokolade hinzu.
Geben Sie etwas Butter in die Schokolade.
Die Schokolade muss schmelzen.
Lassen Sie alles abkühlen.

---

blättern to scroll | **die Träumerin** dreamer (female) | **der Teelöffel** teaspoon | **gießen** to pour | **das Sieb** sieve | **schmelzen** to melt

> Nehmen Sie einen kleinen Teelöffel und geben Sie die Masse dann mit dem Löffel in die Schokoladenkörper.

Ich verschließe die Pralinen mit der weißen Schokolade. Jetzt müssen sie abkühlen.

> Die Schokolade muss 30 Grad warm sein.
> Jetzt nehmen Sie ein paar Lavendelblüten und dekorieren Sie mit den Blüten die Pralinen.

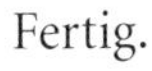

Fertig.

Ich schlage das Rezeptbuch zu und sehe meine Pralinen an.

Es ist 23 Uhr. Ich mache das Licht aus und gehe ins Bett. Es war ein langer Tag.

---

die Masse mass (here: the mixture) | **verzieren** to decorate | **zuschlagen** to close a book (here)

Rezept: Lavendelpralinen

Am nächsten Tag bin ich alleine **in der Bäckerei.**
Susi bleibt **zu Hause**. Sie muss sich ausruhen.
Kurz **vor 18 Uhr** kommt Franz in die Bäckerei.

„Guten Abend", grüßt Franz.
„Haben Sie hier mein Portemonnaie?"
„Ja, hier ist es."
„Wie geht es Susi?"
„Es geht ihr ganz gut. Sie bleibt heute **zu Hause, im Bett**", sage ich kurz.
„Das ist auch gut so. Sie muss sich ausruhen."
„Mhm, ja, richtig", antworte ich schüchtern.

Franz kauft 5 Lavendelpralinen und geht wieder.

---

sich ausruhen to relax

13 Das Seminar

Augsburg, Samstag, der 09. November
Ich will gerade die Bäckerei schließen.
Da kommt Franz durch die Tür.

„Hallo, wie geht es Ihnen?“ ruft er mir zu.
„Danke, gut“, antworte ich etwas verwirrt.

„Ich möchte **von Ihnen** die Herstellung **von Pralinen** lernen“, sagt er plötzlich.
„Natürlich bezahle ich **für den Kurs**“, fügt er hinzu.
„Ich gebe keine Kurse.
Ich mache kein Geld **mit den Pralinen**.
Warum möchten Sie es denn lernen?“
„Ich bin **von Ihren Pralinen** sehr fasziniert.
Und ich lerne gerne neue Sachen.“

Wie nervig.
Was will der **von mir**?

„Haben Sie jetzt Zeit?“, fragt Franz.
„Ich schließe jetzt die Bäckerei und mache Feierabend.“
„Perfekt, dann können wir **mit dem Seminar** gleich beginnen!?“

---

die Herstellung production | **wie nervig** how annoying | **der Feierabend** end of work/evening

Grammatik: **Präpositionen** nach, an, in, vor, zu, für, mit, bei, bis

Ich bin irritiert.

„Ich möchte nur ein paar Tricks lernen", ergänzt er.
„Wollen wir gleich anfangen?"
„Warum eigentlich nicht?", denke ich laut.
„Sie müssen aber eine Schürze tragen."
„Wir können uns auch gerne duzen.
Ich heiße Franz", sagt er und schüttelt meine Hand.
„Ich bin Tina. Hier ist deine Schürze."

„Wie sollen wir beginnen?",
fragt er und bindet
seine Schürze um.

„Mit der Theorie?",
fragt er weiter.

Was denn **für eine Theorie**?

„Ich bin doch keine Lehrerin"
antworte ich.

„Was möchtest du denn lernen?"
„Wie man Pralinen herstellt."
„Das kann man nicht lernen", sage ich trotzig.
„Man kann alles lernen."

Er grinst arrogant.

---

umbinden to tie | **die Lehrerin** teacher (female) | **trotzig** defiantly | **arrogant** arrogantly

„Ich habe aber nicht alle Zutaten hier."
„Kein Problem. Ich habe ein Auto.
Ich kann zum Supermarkt fahren.
Was brauchen wir?"
„Drei Tafeln Schokolade. Dunkel! Gute Qualität.
Dann kauf zwei Becher Sahne."

Er nickt und fährt los.
Er trägt seine Schürze noch **im Auto**.
Ich bereite alles **in der Backstube** vor.
Nach einer viertel Stunde kommt er wieder.

„Hast du alles?", frage ich.
„Ja, ich glaube", sagt er und zeigt auf die Schokolade und die Sahne.

„Gut, dann können wir anfangen", sage ich.
„Lektion 1: Die Pralinenfüllung muss viel Fett haben."
Franz nickt.

„Also, nimm 2½ Tafeln Schokolade.
Brich sie in kleine Stücke.
Dann nimm den Becher Sahne und füll ihn **in den Topf**.
Koch die Sahne auf."
„Kein Problem", sagt er.
„Jetzt rühren wir die Schokolade zusammen mit der Sahne."
„So?", fragt er und rührt die **Schokolade in die Sahne**.

Viel kann man noch nicht falsch machen …

---

die Tafel block (here) | **vorbereiten** to prepare | **die Pralinenfüllung** praline filling | **das Fett** fat | **falsch** wrong

„Gib noch einen Schuss Brandy hinzu."
„Ok!", nickt Franz.
Oh man.

„So, jetzt stell den Topf **für 10 Minuten in den Kühlschrank.**"

Wir warten.

Wo gab es die erste Schokolade der Welt?", fragt Franz neugierig.
„Naja, **bei den Azteken.**
Aber das war nur die Trinkschokolade. **Bei der Tafelschokolade** streiten sich England und die Schweiz **um den ersten Platz.**
Die klassische Praline kommt **von einem deutschen Koch**", erkläre ich.
„Also, du weißt ja doch ein bisschen Theorie!", stellt Franz fest.

„Jetzt ist die Masse kalt genug. Wir formen **mit den Händen** kleine Kugeln und legen Sie **auf das Pralinengitter**", sage ich.

Franz rollt Kugeln.

„Jetzt wasch deine Hände.
Danach lösen wir die Schokoladentafel **im Wasser** auf."
Das Wasser darf nicht zu heiß sein.
Das ist dann die Kuvertüre **für die Pralinen**".

---

der Schuss dash (here) | **gab** was (here) direct translation: gave (past tense of „to guve" geben) | **die Azteken** Aztecs | **die Trinkschokolade** drinking chocolate | **die Tafelschokolade** block/bar of chocolate | **sich streiten** to argue | **feststellen** to discover, to notice | **die Kugel** ball

Rezept: Brandy-Chili-Pralinen

„Kompliziert“, sagt er.
„So, jetzt nimm die Pralinengabel und wälz die Pralinen **in der Kuvertüre**.“
„Fertig?“, fragt er.

Ich überlege.
„Wir brauchen noch etwas Besonderes – Chili!“

Ich sehe **in meine Schublade** und hole einen Beutel **mit Chili-Flocken** heraus.
„Das passt gut **zu dem Brandy** und **zu der Schokolade**“, sage ich. „Streue sie einfach **auf die Pralinen**.“

„Meine erste Praline!“, sagt Franz stolz und probiert eine.
„Nicht schlecht.“

„Kann ich nächste Woche wiederkommen?
Ich möchte noch mehr lernen“, sagt er und isst eine zweite Praline.

---

auflösen to melt (here) | **kompliziert** complicated | **überlegen** to think about so./sth. | etwas Besonderes: something special | **die Chili-Flocken** chili flakes | **der Beutel** bag | **passen** to go nicely with | **streuen** to sprinkle | **erste** first | **stolz** proud | **probieren** to taste | **nächste Woche** next week | **wiederkommen** to come back | **zweit(e)** second

„Ok, aber ich muss mehr Zutaten bestellen."

Hier, wir müssen noch aufräumen", sage ich und gebe Franz den Besen.

Eigentlich ist er ja ganz attraktiv, so wie er da die Küche fegt. Er kommt **mit dem Besen** zurück **an den Tresen**.

„Kann ich noch etwas tun?", fragt er.
„Nein danke. Wir sind hier fertig."

Ich lege die Pralinen in eine **Schachtel**.

„Hier, das sind deine", sage ich.
„Danke. Also, dann bis nächste Woche", sagt er und verschwindet.

---

bestellen to order | **der Besen** broom | **Kann ich noch etwas tun?** can I do anything else? | **verschwinden** to disappear

14 Tour durch Augsburg

Augsburg, Sonntag, der 10. November
Es ist November.
Normalerweise ist es im November kalt und grau
aber heute ist es anders. Die Sonne scheint.
Heute schließe ich die Bäckerei schon um 14 Uhr,
denn ich treffe Susi **in einem Café in der Innenstadt.**
Ich nehme den Bus Nummer 32 und fahre **ins Stadtzentrum.**
Ich habe eine Monatskarte. Die öffentlichen Verkehrsmittel in
Deutschland sind sehr gut und günstig.

Mein Handy klingelt. Es ist Susi.
„Hallo Susi, ich bin gleich da. Wo ist das Café denn genau?“,
frage ich und verliere bei den tollen Gebäuden schnell die
Orientierung.
„Wo bist du jetzt?“, fragt sie.
„Ich bin jetzt **neben dem Stadttheater, in der Volkhartstraße.**“
„Ok, das Café ist **auf dem Martin-Luther-Platz**, in der Nähe
von dem Maximilian-Museum.
Geh die Volkhartstraße **geradeaus bis zur Kreuzung.**
An der Kreuzung geh **links in die Karlstraße.**
Geh die **Karlstraße entlang, am Naturmuseum vorbei.**
Bieg links in die Annastraße ab.
Geh dann die **Annastraße entlang.**
Auf der rechten Seite ist der Stadtmarkt
und **auf der linken Seite** siehst du das Maximilian-Museum.

---

normalerweise normally | **die Monatskarte** monthly ticket | **die öffentlichen Verkehrmittel** public transport | **günstig** affordable, cheap | **genau** exactly | **verlieren** to lose (here: to lose orientation) | **toll** wonderful | **das Stadttheater** city theater | **abbiegen** to turn | **Auf der rechten Seite**: on the right hand side

Grammatik: **Lokalpräpositionen**

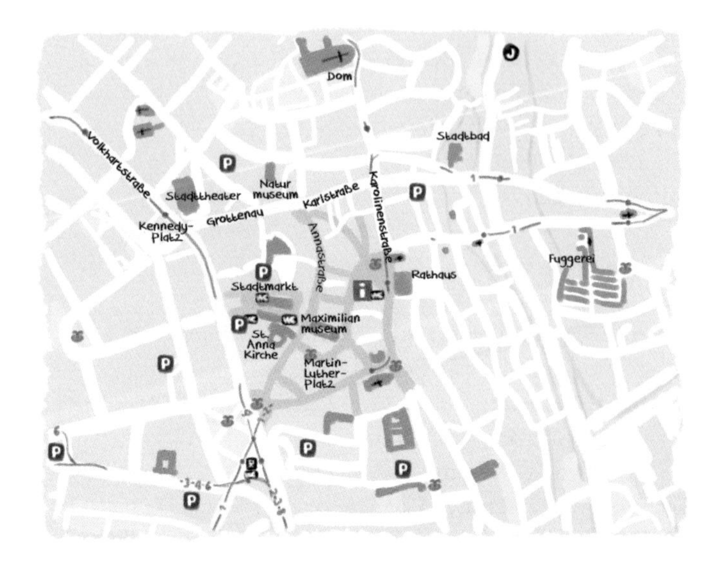

Geh **bis zur St. Anna Kirche.**
Gegenüber der Kirche ist der Martin-Luther-Platz.
Geh **über den Platz**. Das Café ist **hinter dem Brunnen**."
„Danke Susi. Ich bin in 10 Minuten da."
„Keine Eile. Ich sitze in der Sonne und trinke schon einen Kaffee."

Ich gehe **die Volkartstraße geradeaus, am Kennedyplatz vorbei, bis zur Kreuzung** und gehe **an der Kreuzung links in die Karlstraße**. Ich gehe **die Straße entlang.**
Auf der linken Seite sehe ich das Stadtbad.
Komisch. Wo ist denn die Annastraße?

---

die Kirche church | **der Brunnen** fountain

Auf der anderen Straßenseite steht eine Frau mit einem Kinderwagen. Die kann mir bestimmt helfen.
An der Ampel gehe ich **über die Straße**.

„Entschuldigen Sie, können Sie mir helfen?
Wie komme ich zum Martin-Luther-Platz?“,
frage ich die Frau.

„Also, **Sie gehen hier zurück** und **am Parkplatz vorbei**.
Gehen Sie **über die Karolinenstraße**.
Gehen Sie **nach der Karolinenstraße die vierte Straße links in die Annastraße** und dann **die Annastraße entlang, am Maximilian-Museum vorbei** und **auf der linken Seite** ist dann der Martin-Luther-Platz“, erklärt die Frau.
„Vielen Dank!“

Nach 10 Minuten komme ich endlich am Martin-Luther-Platz an. Ich gehe **an dem Brunnen vorbei** und sehe Susi in dem Café sitzen.

Oh oh, Susi hat ihren Apfelkuchen und ihren Kaffee.
Jetzt ist sie in Redelaune.

„Was hast du in den letzten Tagen so gemacht?“, frage ich sie.

Sie hat nach ihrem Kreislaufzusammenbruch weniger in der Bäckerei gearbeitet.

Auf der anderen Straßenseite on the other side of the street | **der Kinderwagen** pram | **die Ampel** traffic lights | **die Redelaune** talkative mood | **weniger** less

„Ich war jeden Tag beschäftigt.
Am Montag **habe** ich den Garten **gemacht**.
Ich **habe** den Rasen **gemäht** und das Unkraut **gepflückt**.
Am Dienstag **habe** ich viel in der Küche **gearbeitet**.
Ich **habe** eine wunderbare Suppe **gekocht** und danach die ganze Küche **gewischt**.
Am Mittwoch **habe** ich für meine Freundin Herta ein Abendessen **gekocht**. Sie war bei mir zu Besuch.
Wir hatten sehr viel Spaß und **haben** viel **gelacht**.
Am Donnerstagmorgen **habe** ich Tennis **gespielt**.
Früher war ich besser. Aber es macht noch sehr viel Spaß.
Am Freitag **habe** ich einen Spaziergang im Park **gemacht**.
Und gestern? Mmmm.
Achja, gestern war Samstag und ich **habe** auf dem Markt Kartoffeln und Gemüse **gekauft**.
Heute Morgen **habe** ich dann lange **gefrühstückt** und jetzt bin ich hier.“

Susi ist sehr aktiv und erzählt gerne von gestern.
Sie spricht oft über die Vergangenheit.
Besonders über meine Kindheit spricht sie gern.
Es war eine schöne Zeit.
Susi hat ein Foto von meinem Familienhaus gefunden.

Ich **bin** in einer kleinen Stadt in der Nähe von Augsburg **aufgewachsen**. Mit meiner Familie **habe** ich in einem schönen Haus am See **gewohnt**.

---

beschäftigt sein be busy | **der Rasen** lawn | **mähen** to mow | **das Unkraut** weed | **pflücken** to pick sth. | **wischen** to mop | **zu Besuch sein** to come for a visit | **lachen** to laugh | **der Spaziergang** walk | **gestern** yesterday | **aufwachsen** to grow up

Grammatik: **Perfekt** mit **haben**

Wir hatten einen großen Garten.
Im Sommer **habe** ich mit meinen Freundinnen draußen **gespielt** und im See **gebadet**.
Am Wochenende **haben** wir oft meine Tante Frieda **besucht** und dann **haben** wir im Garten **gegrillt.**
In Augsburg war meine Grundschule.
Jeden Morgen **ist** ein Schulbus **gekommen** und **hat** uns **abgeholt** und uns zur Schule **gefahren.**

Ich war 7 Jahre alt, da hatten meine Eltern einen Autounfall.
Sie **sind** beide im Krankenhaus **gestorben.**
Ich **bin** zu Tante Frieda in die Stadt **gezogen**.
Bei ihr hatte ich eine gute Kindheit.
Wir **haben** damals unser Haus an eine junge Familie **verkauft**.
Sie wohnen jetzt noch dort.
Manchmal gehe ich an dem See spazieren.

---

baden to take a bath (here: to bathe/to go swimming) | **besuchen** to visit | **die Grundschule** primary school

Grammatik: **Perfekt** mit **haben** und **sein**

15 Zurück in der Bäckerei

Augsburg, Montag, der 11. November
Am nächsten Tag gehe ich pünktlich um 7 Uhr in meine Bäckerei. **Mir gefällt** mein neuer Job immer mehr.

„Guten Morgen Frau Himmel. Wie **geht es Ihnen**?“, rufe ich.

Ich habe sie seit der Trauerfeier nicht mehr gesehen.

„Gut gut“, sagt sie und sieht kritisch auf die Brote.
„Wie kann ich Ihnen helfen?“
„Ich möchte 10 Scheiben Graubrot.“
„Gerne“, antworte ich und schneide ihr 10 Scheiben von dem Graubrot ab.

Auf dem Tresen stehen noch meine Lavendelpralinen.
Frau Himmel nimmt sich eine Praline.

„**Schmeckt** sie **Ihnen**?“, frage ich.
Frau Himmel **antwortet mir** nicht.
Schnell holt sie ihr Portemonnaie raus.
„Was macht das?“
„1 Euro 30. Die Praline geht aufs Haus.
Hier, nehmen sie diese Schachtel mit. Sie **gehören Ihnen**“

Sie sieht verlegen in ihr Portemonnaie.

---

gefallen to like | **kritisch** critically | **die Scheibe** slice | **das Graubrot** rye bread | **gehören** to belong to so./sth.

Grammatik: **Verben mit Dativ**

Schnell packt sie das Brot und die Pralinen in ihre Tasche und geht durch die Tür.
Noch einmal sieht sie durch das Fenster.

„Ich **gratuliere dir**. Du hast deinen ersten Fan!“, ruft Susi aus der Backstube.

„Hallo Tina“, höre ich eine Männerstimme rufen.
Es ist Franz. Was will er denn hier.

„Hallo“, sage ich mit einer hohen Stimme.
„Ich möchte gerne für mein Pralinen-Seminar bezahlen“, sagt er.
„Die Zutaten sind noch nicht angekommen.“
Meine Stimme hat sich wieder beruhigt

„Das macht nichts. Ich möchte **dir** jetzt **das Geld geben**.
Kannst du **mir** auch **eine Schachtel Lavendel-Pralinen geben**?
Ich möchte **sie meiner Schwester** zum Geburtstag **schenken**.“

Plötzlich kommt Susi aus der Backstube gelaufen.
„Guten Tag Herr Meyer, wie schön Sie zu sehen.
Wie viele hätten sie denn gern?“, fragt Susi und schiebt mich aus dem Weg.
Sie zeigt **ihm die Pralinen** auf einem Teller.
„9 bitte“, sagt Franz.

Susi nimmt eine Schachtel und dekoriert 9 Pralinen hinein.

---

packen to pack | **noch einmal** again, one more time | **gratulieren** to congratulate | **die Männerstimme** voice of a man | **die hohe Stimme** high voice | **ankommen** arrive | **hat sich wieder beruhigt** has calmed down | **macht nichts** does not matter | **der Geburtstag** birthday | **wie schön Sie zu sehen** good to see you | **schieben** to push (here)

Grammatik: **Verben** mit **Akkusativ-** und **Dativobjekt**

„Möchten Sie noch etwas?“, fragt sie.
„Nein danke. Wie viel macht das?“
„3 Euro 50, bitte.“
Er gibt ihr einen 5 Euro Schein.
„Stimmt so“, sagt er.

„Und sagen sie ihrer Schwester einen herzlichen Glückwunsch von uns.“
Susi **gibt ihm die Schachtel** und hält ihm die Tür auf.
„Auf Wiedersehen.“
„Auf Wiedersehen und bis Mittwoch“, sagt Franz und steigt in sein Auto ein.

„Mittwoch? Habt ihr ein Date?“, fragt Susi.
„Neiheeiin, das ist KEIN Date.
Am Mittwoch ist doch unser Seminar!“

---

herzlichen Glückwunsch congratulations | **einsteigen** to get in

16 Übung macht den Meister

Augsburg, Mittwoch, der 13. November
„Hier, zieh **dir** die Schürze an!“, befehle ich **ihm**.
„Du siehst heute irgendwie anders aus“, kommentiert Franz.
„Was meinst du?“, frage ich nervös.

Ich habe **mich** heute schick gemacht.
Ich trage Make Up, Lippenstift und war gestern auch noch beim Frisör.

„Warst du beim Frisör?“, fragt Franz.
„Nein, war ich nicht“, antworte ich verlegen.

Nervös sehe ich mich um.
Ich sehe einen Rührlöffel auf dem Tisch und gebe **ihn** Franz in die Hand.

„Was machen wir heute?“, fragt er.
„Choco-Crossies. Die sind einfach**er als** die letzten Pralinen und du kannst **sie** allein zu Hause machen.“
„Klingt gut“, sagt er und wartet gespannt.
„Wir brauchen 100 g Nougat, 150 g Kuvertüre und 75 g Cornflakes“, lese ich vor.
„**Mehr** nicht?“, fragt er irritiert.
„Nein, diesmal brauchen wir wenig**er.**“

---

befehlen to order, to command | **der Lippenstift** lipstick | **der Frisör** hairdresser | **umsehen** to look around | **einfach** easy, simple | **gespannt** curious | **diesmal** this time

Grammatik: **Personalpronomen** im Dativ, **Adjektive**: Komparativ und Superlativ

„Warum machst du eigentlich die Pralinen selbst?
Warum kaufst du **sie** nicht im Supermarkt?", fragt er.
„Meine Pralinen sind köstlich**er**, günstig**er** und sehen **besser** aus", sage ich stolz.
„Die meisten Confiserien bieten nur normale belgische Buttercreme an. Also mache ich **sie** eben selbst", ergänze ich.
„Spannend", sagt Franz.

„Und warum lernst du nicht allein zu Hause?
Mit einem Rezeptbuch?"
„Ich lerne **besser** mit **dir**. Und hier lerne ich schnell**er als** alleine in meiner Küche."

„Im Kühlschrank ist das Nougat. Kannst du **es mir** geben?", frage ich **ihn** schnell.
„Hier, du brauchst 2 Kochlöffel", sage ich und gebe **sie ihm**.

Nach 30 Minuten sieht die Küche dreckig**er** aus **als** jemals zuvor.

„Fertig", sage ich.
„Das war ja viel schnell**er** als ich gedacht habe!"

Franz holt die Choco-Crossies aus dem Kühlschrank und nimmt sich 2.

---

aussehen to look (good, bad, nice …) | **stolz** proud, proudly | **spannend** exciting | **dreckig** dirty | **jemals zuvor** ever before

Rezept: Choco-Crossies

„Warum schmecken deine Choco-Crossies **besser als** meine?“, fragt er.
„Das hast du **mich** schon einmal gefragt.
Ich mache **sie** schon läng**er als** du.“
„Aber was ist der Unterschied?
Ich mache alles nach Anleitung.“
„Du machst **sie** nicht mit Leidenschaft.
Außerdem ist **es** kein Wettbewerb.
Vielleicht bin ich bei dem Herstellen geduldig**er als** du.
Ungeduld mögen die Pralinen nicht.“
„Also meinst du, sie haben Gefühle?“

„Ich weiß nicht …
Auf jeden Fall sind meine Pralinen besser als meine Kuchen.
Hoffentlich sind meine Kuchen bald so gut wie meine Pralinen.“

Stumm legt er die Pralinen in eine Schachtel.
„Kann ich **sie** mitnehmen?“, fragt er.
„Äh ja“, antworte ich stocksteif.
„Danke Tina“, sagt er und verlässt die Bäckerei.

---

der Unterschied difference | **die Anleitung** instructions | **die Leidenschaft** passion | **außerdem** besides, in addition | **der Wettbewerb** competition | **geduldig** patient | **die Ungeduld** impatience | **stumm** silent | **stocksteif** stock-still

Augsburg, Dienstag, der 19. November
Der Anrufbeantworter **des Telefons** ist voll.
Seit Tagen ignoriere ich **Franzs Anrufe.**
In der letzten Woche habe ich mich nur auf das Überleben **der Bäckerei** konzentriert.
Ich prüfe die E-Mails jeden Tag ein paar Mal.
Manchmal hoffe ich auf ein Wunder.
Aber meistens bekomme ich nur E-Mails von irgendwelchen Großmüttern.
Sie haben angeblich Geld im Lotto gewonnen
und wollen es mir schenken. Schön wär es!

Ich schreibe den Umsatz **der letzten Woche** auf.
Die Zahlen **der Bäckerei** sehen nicht gut aus.
Wie soll ich die Lieferanten **der Zutaten** bezahlen?
Ich vergleiche die Zahlen **meiner ersten Woche** mit **Tante Friedas Zahlen.** Irgendetwas mache ich falsch.
Die Qualität **meines Backens** ist nicht besonders gut.
Ich sitze im Garten auf der Bank unter meinem Lavendelbaum
und schreibe eine To-Do-Liste:

1. Mit der Bank sprechen
2. Rezepte **der Brote, Kuchen und Brötchen** studieren
3. Telefonnummern **der Stammgäste** finden und sie anrufen und zu Kaffee und Kuchen einladen
4. Bäckerei retten!!!

---

der Anrufbeantworter answering machine | **der Anruf** call | **das Überleben** survival | **prüfen** to check | **ein paar Mal** a few times | **das Wunder** miracle | **irgendwelche** some | **die Großmutter** grandmother | **Schön wär es!** If only! | **der Umsatz** sales | **die Lieferanten** suppliers | **irgendetwas** something (here) | **der Stammgast** regular guest | **retten** to save

Grammatik: **Genitiv**

Ich fange mit Punkt 2 **der Checkliste** an und gehe in die Backstube.
Ich habe alle Zutaten für ein Mehrkornbrot da.
Ich mische die Zutaten zusammen, knete den Teig und forme ihn zu einem Brot.
Die Form **des Brotes** sieht schon gut aus.
Ich lege es auf ein Blech und schiebe es in den Ofen.

Gespannt warte ich.
Die Farbe **des Brotes** ist OK.
Der Geruch **des Brotes** ist fantastisch.
Aber die Form **des Brotes** sieht nicht so aus wie auf dem Foto.
Jetzt fällt das Brot zusammen.
Oh man, was habe ich falsch gemacht?

Ich nehme es aus dem Ofen und schneide in die Mitte **der Form**. Riecht gut.
Mit den Fingern breche ich ein Stück ab.
Dann esse ich das ganze Brot.
Na super. Der Geschmack **des Teigs** ist köstlich.
Aber verkaufen kann ich es so nicht.

---

das Blech baking sheet | **zusammenfallen** to collapse | **abbrechen** to break off

Rezept: **Mehrkornbrot**

Was mache ich bloß ohne Susi?
Frustriert gehe ich zurück in die Küche **meines Hauses**.

Punkt 1 und 3 **der Checkliste** kann ich vergessen.
Ohne die Kunst **des Backens** brauche ich kein Geld und auch keine Stammgäste.

Durch das Fenster **der Küche** sehe ich Susi durch den Garten laufen. Ein paar Sekunden später klopft sie schon an die Tür.

„Hallo Susi."
„Wie geht es dir mein Kind?", fragt sie und kommt durch die Tür **des Hauses**.
„Was riecht denn hier so gut?", fragt sie.
„Ich habe ein Mehrkornbrot gebacken.
Aber es ist zusammengefallen."
„Wo ist es denn?", fragt sie und sieht sich in der Küche um.
„Ich habe es gegessen."
„Hat es geschmeckt?"
„Ja, sehr gut.
Aber die Form **des Brotes** war eher wie die Form **eines Fladenbrotes**."

Ich denke an Kathi. Ich vermisse sie.
Aber ich habe schon lange nicht mehr mit ihr gesprochen.
Soll ich ihr von den Problemen mit der Bäckerei erzählen?
Hatte Tim vielleicht doch recht?
Heute Abend muss ich Kathi endlich mal anrufen.

---

bloß only, just

17 Ein interessantes Angebot

Ich habe schlechte Laune und mein Magen bläht langsam auf wie ein Luftballon.
Ich höre die Stimme eines Mannes in der Bäckerei.
Es ist Franz. Ich lausche an der Tür der Backstube.

„Das ist aber sehr nett von Ihnen“, höre ich Susi sagen.
„Meinen Sie, Tina hat Interesse?“, höre ich jetzt Franz sagen.

Interesse?

„Hallo Franz. Was machst du denn hier?“, frage ich.
„Ich war gerade in der Nähe.
Warum ist die Bäckerei denn heute geschlossen?“

Susi macht Kaffee und stellt einen Kuchen auf den Tisch.

„Trinken wir jetzt zusammen Kaffee?“, frage ich irritiert.
„Setz dich! Franz möchte dir ein Angebot machen“, erklärt Susi.

Gespannt warte ich.

„Ich habe nachgedacht“, sagt Franz.
„Ich möchte dir helfen und in die Bäckerei investieren.
Naja, nicht direkt in die Bäckerei …“

---

die Laune mood | **der Magen** stomach | **aufblähen** to blow up | **der Luftballon** balloon | **lauschen** to listen (to sth.), to eavesdrop | **das Angebot** offer | **gespannt** expectant | **nachdenken**: to think about

„Ich möchte in eine Confiserie investieren.
Wir renovieren die Bäckerei,
bauen die Backstube in eine richtige Küche um.
Du kannst Pralinenseminare anbieten
und die Pralinen dann vorne im Café verkaufen.
Was denkst du?"

„Was meinst du Susi?", frage ich.
„Ich finde die Idee wunderbar. Deine eigene Confiserie!"

„Das klingt wirklich gut", sage ich etwas zurückhaltend.
„Nein, es ist perfekt!" sagt Franz erfreut.
„Also machen wir es?"
„Ja, wir machen das! Meine eigene Confiserie!" erwidere ich nun motiviert.
„Sehr schön! Dann überleg mal! Was brauchen wir?
Ich hole dich am Samstag ab und dann fahren wir in den Baumarkt. Für Farben und Pinsel."
„Und in ein Kaufhaus für das Pralinenwerkzeug!"
„In Ordnung" sagt Franz und verabschiedet sich.

Ich fange direkt an und schreibe eine Einkaufsliste:

---

die Konfiserie confectioner's | **die Farbe** paint | **der Pinsel** paint brush

Info: **Ordinalzahlen**

Erstens:	20 Temperiergeräte
Zweitens:	4 Edelstahlwagen
Drittens:	30 Gießformen
Viertens:	25 Thermolöffel
Fünftens:	20 Pipetten
Sechstens:	50 Trüffelgitter
Siebtens:	65 Silikonmatten für Pralinenböden
Achtens:	25 Edelstahltöpfe
Neuntens:	25 Dosierflaschen
Zehntens:	30 Pralinengabeln mit zwei Zinken und mit drei Zinken
Elftens:	30 Pinzetten
Zwölftens:	30 Baumwollhandschuhe
Dreizehntens:	25 Spritzbeutel

Augsburg, Samstag, der 23. November
Franz und ich laufen durch das Kaufhaus und suchen die Dinge auf meiner Einkaufsliste.

Ich sehe einen Verkäufer.
„Entschuldigen Sie, wo finde ich Pralinengitter?"
„**In der** zwei**ten Etage** beim Küchenzubehör", antwortet er und zeigt auf das Schild neben dem Fahrstuhl.
„Vielen Dank. Und wo finde ich Baumwollhandschuhe?"
„Die finden Sie **im** vier**ten Stock**, gleich zwischen den Handtüchern und dem Besteck."
„Vielen Dank", sage ich und gehe zum Fahrstuhl.

Das Kaufhaus ist groß.
Es hat **4 Stockwerke**, ein **Erdgeschoss** und ein **Untergeschoss**.
Hier verliert man schnell die Orientierung.

Nach 2 Stunden haben Franz und ich alles gefunden und wir gehen zurück zum Auto.
Auf dem Weg fragt Franz:
„Wie möchtest du deine Confiserie eigentlich nennen?"
„Das weiß ich noch nicht."
„Und wann möchtest du sie eröffnen?"
„Die Einweihungsfeier soll **am ersten** Januar stattfinden", sage ich.
„**Am ersten** Januar? Aber das ist ein Feiertag.
Es ist Neujahr. Meinst du, das ist eine gute Idee?"
„Willst du die Einweihungsfeier nicht lieber **am sechsten Januar** machen?" fragt Franz.

---

der Verkäufer shop assistant | **das Küchenzubehör** kitchen accessories | **die Handtücher** towels | **das Besteck** cutlery | **der Fahrstuhl** lift | **verlieren** to lose | **nennen** to name | **die Einweihungsfeier** opening | **Neujahr** New Year's day

Er hat recht.

„Aber **am sechsten** Januar hat Susi Geburtstag.
Vielleicht mache ich sie am 15. Dezember.
Vor Weihnachten."
„Aber dann haben wir nicht mehr viel Zeit für die Renovierung."
„Dann vielleicht doch **am 15. Januar**?"
„Ja, das klingt gut. Aber ein Samstag ist besser.
Dann sind alle in der Stadt unterwegs."
„Alles klar! Dann Samstag, der 17. Januar!"

Wir fahren weiter zum Baumarkt.
Dort kaufen wir Pinsel und Farbe.

Zurück in der Backstube fangen wir mit der Renovierung an.
Ich packe **die erste Tüte** mit dem Pralinenwerkzeug aus.
In **der zweiten Tüte** ist Farbe für die Wand.
Und in **der dritten Tüte** sind die Pinsel.

In meinem Schrank finde ich einen Blaumann.
Irgendwo hatte ich doch noch **einen zweiten Blaumann**.
Aber wo?
Ah, hier ist er.

---

der Blaumann overall

Ich gehe zurück in die Bäckerei.
Franz rührt die Farbe um.

„Hier ist dein Blaumann“ sage ich zu Franz und reiche ihm den Anzug.

Franz zieht den Anzug über und dreht sich wie ein Model.

„Sehr schick!“
Ich muss lachen.

Los geht’s!

Wir arbeiten hart und nach 14 Tagen streichen, umbauen, ein- und ausräumen haben wir es endlich geschafft.

Wir liegen müde auf dem Boden in der neuen Küche.

„Wie möchtest du die Confiserie denn jetzt nennen?“ fragt Franz.
„Tinas Confiserie Café“, antworte ich stolz.

18 Die Neueröffnung

Augsburg, Samstag, der 17. Januar
Die Neueröffnung spricht sich schnell herum und ich habe bereits 12 Anmeldungen für mein erstes Pralinenseminar.

Pünktlich um 8 Uhr öffne ich zum ersten Mal die Confiserie.
Susi sieht heute sehr schick aus. Sie trägt ein Kleid.
Franz ist auch da.

Die Confiserie sieht fantastisch aus.
Ich habe heute 12 verschiedene Pralinensorten.
Auf den Tischen sind Tannenzweige aus dem Garten.

„Guten Morgen“, sagt eine Frauenstimme.
Ich sehe zur Tür. Es ist Frau Himmel.
„Guten Morgen Frau Himmel“, sage ich und gehe auf sie zu.
„Wie geht es Ihnen?“
„Ich möchte bitte einen Kaffee“, sagt sie und gibt mir ihren Mantel.

Sie setzt sich an den Tisch und blickt aus dem Fenster.
Aber sie sagt nichts.
Ich hole die Tasse Kaffee für Frau Himmel.
Auf die Untertasse lege ich eine Praline.
„Hier ist ihr Kaffee“, sage ich und stelle den Kaffee mit der Praline auf den Tisch.

Gespannt warte ich.

---

spricht sich schnell herum word gets around quickly | **die Anmeldungen** registration | **blicken**: to look at sth./so.

Ein zweiter Gast kommt ins Café.
Ich kenne ihn nicht. Es ist ein Mann, etwa 75 Jahre alt.
„Guten Tag“ sagt er.

Franz nimmt die Jacke des Mannes und hängt sie an den Haken. Der Mann setzt sich an einen Tisch gegenüber von Frau Himmel.

„Ich kenne Sie nicht“, sagt sie.
„Ich kenne Sie auch nicht“, erwidert der Mann.
„Ich bin Claus. Claus Schnacken.“
„Ilse. Ilse Himmel“, sagt sie und nippt an ihrem Kaffee.

„Hier, biete ihm die Brandy-Chili-Praline an“, flüstert Susi.
Ich lege eine Praline auf das Tablett.
„Bitte schön, probieren Sie.“

„Ausgezeichnet. Kann ich noch mehr probieren?“, fragt Herr Schnacken und lächelt freundlich.
„Natürlich“, sage ich und laufe zurück zum Tresen.
Susi legt von jeder Praline eine auf das Tablett.
„Bitte schön.“

Ich erkläre ihm die Sorten.
Ich merke, wie er immer wieder zu Frau Himmel sieht.
Nach einer halben Stunde setzt sich Herr Schnacken an den Tisch von Frau Himmel.

„Wir hätten gerne noch zwei Champagner-Pralinen.
Zur Feier des Tages“, ruft er.

---

der Haken hook | **erwidern** to reply | **nippen** to sip at sth. | **das Tablett** tray | **die Sorte** sort, type (here: flavour) |

Es ist nun 10 Uhr und das Café füllt sich mit Gästen.
Im Hintergrund spielt leise „Les Champs-Elysees“ von Joe Dassin. Das ist mein Lieblingslied.

Franz öffnet die Champagnerflasche und füllt die Gläser.

„Guten Morgen alle zusammen“, sage ich.
Ich mag keine Reden.

„Pralinen sind meine Leidenschaft. Und diese Leidenschaft habe ich mit meiner Tante Frieda geteilt.
Alle Pralinen stelle ich nach den Rezepten von Tante Frieda her. Mit der Neueröffnung der Confiserie lebt ein Teil von ihr in uns allen weiter.
Herzlichen Dank für Ihr Kommen.“

Die Gäste sehen mich an und stehen auf.
Sie klatschen in die Hände.
Für einen Moment denke ich, Tante Frieda ist wirklich hier und ich weiß, es war die richtige Entscheidung.

sich füllen to fill | **der Hintergrund** background | **Herzlichen Dank für Ihr Kommen** many thanks for coming | **Zur Feier des Tages** for the celebration of the day